LA CÉRÉMONIE DES ANGES

ŒUVRES DE MARIE LABERGE

ROMANS

Aux Éditions du Boréal

Juillet, 1989 (collection « Boréal compact », 1993)

Quelques Adieux, 1992 (collection « Boréal compact », 1997)

Le Poids des ombres, 1994

Annabelle, 1996

THÉÂTRE

C'était avant la guerre à l'Anse à Gilles,
VLB éditeur, 1981; Les Éditions du Boréal, 1995

Ils étaient venus pour..., VLB éditeur, 1981; Les Éditions du Boréal, 1997

Avec l'hiver qui s'en vient, VLB éditeur, 1982

Jocelyne Trudelle trouvée morte dans ses larmes,
VLB éditeur, 1983; Les Éditions du Boréal, 1992

Deux Tangos pour toute une vie, VLB éditeur, 1985;
Les Éditions du Boréal, 1993

L'Homme gris suivi de *Éva et Évelyne,*
VLB éditeur, 1986; Les Éditions du Boréal, 1995

Le Night Cap Bar, VLB éditeur, 1987; Les Éditions du Boréal, 1997

Oublier, VLB éditeur, 1987; Les Éditions du Boréal, 1993

Aurélie, ma sœur, VLB éditeur, 1988; Les Éditions du Boréal, 1992

Le Banc, VLB éditeur, 1989; Les Éditions du Boréal, 1994

Le Faucon, Les Éditions du Boréal, 1991

Pierre ou la Consolation, Les Éditions du Boréal, 1992

Marie Laberge

LA CÉRÉMONIE DES ANGES

roman

Boréal

Les Éditions du Boréal remercient le Conseil des Arts du Canada
ainsi que le ministère du Patrimoine canadien et la SODEC
pour leur soutien financier.

Illustration de la couverture : Louise Laberge

Dépôt légal : 4ᵉ trimestre 1998
Bibliothèque nationale du Québec

Diffusion au Canada : Dimedia

Données de catalogage avant publication (Canada)
     Laberge, Marie, 1950
     La Cérémonie des anges
     ISBN 2-89052-930-4
     I. Titre.

PS8573.A168C47   1998   C843'54   C98-941263-6
PS9573.A168C47   1998
PQ3919.2.L32C47   1998

À la mémoire d'André,
à tous ceux qui n'auront jamais quarante ans
et, parce que les vivants sont notre seul recours
contre la mort,
à mes amis, Françoise et Maurice Segall.

Nous ne voyons jamais qu'un seul côté des choses ;
L'autre plonge en la nuit d'un mystère effrayant.
L'homme subit le joug sans connaître les causes,
Tout ce qu'il voit est court, inutile et fuyant.

Vous faites revenir toujours la solitude
      Autour de tous ses pas.
Vous n'avez pas voulu qu'il eût la certitude
      Ni la joie ici-bas !

VICTOR HUGO,
À Villequier

C'est le silence qui m'a réveillé. L'angoisse du silence soudain. Depuis, je n'ai plus entendu aucun bruit. Ce silence-là a dévasté ma vie.

C'était avant l'aube. Il faisait noir. C'est mon oreille qui a capté le drame, mais sitôt établi que ce silence n'était pas normal, mon cœur s'est affolé. Je me suis levé très doucement pour ne pas alerter Nathalie. J'ai l'impression d'avoir couru, sur le bout des pieds, dans la chambre contiguë à la nôtre. Érica était couchée sur le ventre et ne bougeait pas. J'ai posé ma main sur son dos, rien — elle ne bougeait pas, ne respirait pas. Elle n'était pas froide. Je l'ai retournée brutalement, comme une poupée. Comme une poupée, elle était sans tonus, yeux ouverts, sa main a mollement heurté les barreaux du lit. Ça a fait un bruit sourd. Un petit bruit étouffé. Le dernier bruit d'Érica. J'ai l'impression d'avoir hurlé en l'extirpant de sa couchette. Mais je sais que pas un son n'est sorti de moi. Je l'ai hissée jusqu'à ma joue, je l'ai serrée trop fort en espérant qu'elle proteste puis je l'ai posée par terre sur le tapis, je me suis agenouillé et j'ai essayé de souffler dans sa bouche, de faire se soulever sa petite cage thoracique. J'avais peur de la détruire en soufflant trop d'air. Mon cœur battait tellement fort que j'ai cru que c'était le sien. De ma main libre, j'ai essayé de réchauffer ses pieds glacés. Je ne sais pas quand j'ai compris. Ses pieds ou l'aube. Une grisaille plus blanchâtre qui montrait son teint. Je n'ai pas supporté de voir son teint contre le gris du tapis. Je me suis relevé en la tenant contre moi, j'étais en sueur, torse nu. Érica était fraîche contre ma peau humide. Je haletais comme un coureur, debout dans sa chambre lilliputienne. J'ai levé les yeux : Nathalie était dans l'embrasure de la porte, elle me fixait avec horreur comme si je venais d'achever Érica. Sur le devant de sa jaquette, le sein gauche avait laissé une grande tache sombre. Ça faisait comme un cœur dont la pointe, ratée, s'étirait vers le bas. Le lait d'Érica qui montait. Nathalie n'a pas bougé, elle a seulement mis sa main gauche sur son sein, en silence.

Personne n'a crié. Juste nos souffles hachurés. Je ne me souviens de rien d'autre de cette aube du 17 janvier 1995.

Je n'ai rien à écrire ou à dire.

Je ne vois pas ce que cette femme aux yeux de cocker triste veut de moi. Elle a l'air dans un continuel état d'anxiété. Elle me regarde comme si j'y pouvais quelque chose.

J'écris parce que j'ai promis et que je suis femme de parole.

Ne pas oublier d'aller chercher le linge chez le nettoyeur. C'est fermé le samedi et à chaque fois, on attend le samedi pour y aller.

Immanquable.

Avec Laurent qui a l'air d'avoir perdu ses clés chaque fois qu'il sort, on dirait bien que je suis la seule à me souvenir des détails.

Laurent ne va pas bien, ça, le cocker l'a bien vu.

L'ennui, c'est que je ne suis pas patiente. Il n'a pas l'air de vouloir s'en sortir. Il a même l'air plutôt confortable dans sa déprime. Se rase plus. Se couche en arrivant. Ne mange rien.

Hier, j'ai attendu qu'il s'endorme sur le divan et je suis allée au restaurant. Rencontré la gang du Shakespeare qui venait de finir la répétition générale. On a ri comme des débiles. Longtemps que j'avais pas ri de même. Jean-Claude me couvait des yeux. S'il pense… C'est pas le genre de regard qui m'excite. Celui du petit Lacombe par contre… pas laid, le petit Lacombe. Un peu vert encore, mais tentant.

Bon, ça doit bien faire une page, ça?

Il faisait – 35° cette nuit-là.

À l'urgence, ils m'ont arraché ma fille des bras. Ils ont déchiré ses vêtements chauds, se sont tous penchés sur elle en même temps et se sont relevés presque aussitôt. Pendant un instant, Érica a été nue, posée sur une civière, minuscule petite poupée inanimée. J'ai voulu l'abrier. Quelqu'un a dit « morte à l'arrivée, cinq heures quinze du matin ». Je ne sais pas ce qui m'a pris. Une rage épouvantable. Je me suis jeté sur cet homme, je l'ai agrippé et traîné jusqu'au mur en silence. J'allais le cogner quand on m'a saisi par derrière et immobilisé. L'homme a repris contenance, il m'a regardé dans les yeux sans aucune agressivité et il a répété « elle est morte. » Il est allé ramasser la couverture et l'a remise sur mes épaules nues. Il a ajouté : « Venez avec moi. » Mais je ne voulais pas laisser Érica toute nue sur une civière trop grande pour elle. Quelqu'un la poussait vers le corridor. L'homme m'a arrêté avant que je la suive. Il s'est mis à parler d'examens, de tests obligatoires, de questions, de café et d'autopsie. Il m'a promis qu'on me ramènerait Érica. Il l'a juré. J'ai dû dire : en vie, mais je croyais l'avoir seulement pensé. Il m'a fixé longtemps avant de répéter : « Non, pas en vie. Votre bébé est mort, monsieur, on va essayer de trouver pourquoi, mais ce n'est pas certain qu'on y arrive. » Tous les mots que cet homme a prononcés sont restés gravés dans ma mémoire. Toutes les questions qu'il a posées. Il y en a eu beaucoup. Plus tard, on a cherché Nathalie pour un détail dont je ne me souvenais pas. C'est fou, je ne me rappelais plus si elle m'avait accompagné. Je me souvenais d'Érica sur mes genoux contre le volant, de ses pieds glacés… oui, Nathalie était venue avec moi. Elle claquait des dents dans l'auto. On l'a trouvée à l'étage de la pouponnière, la jaquette maculée de lait, pieds nus dans ses bottes fourrées. Elle était affalée contre une porte de secours, dans un renfoncement du mur. Elle avait l'air d'une sans-abri, d'une pauvresse abandonnée. Elle n'a rien dit, m'a à peine regardé. Elle s'est laissé emmener comme une automate. Elle n'a même pas réclamé Érica. Neuf semaines avant, dans ce même endroit, elle avait mis au monde notre fille.

S'il y a une chose que je déteste, c'est bien les analyses intérieures. L'auto-taponnage de l'âme, le sondage intime pour se faire venir psychologiquement. Bullshit.

Le cocker insiste pour l'approche au je. Très bien. On va approcher le je. Le prix qu'il faut payer pour se fermer la gueule en entrevue. Déjà que Laurent s'abîme dans une contemplation intérieure qui a l'air de bien l'exalter. Seul moment où je le vois s'animer d'ailleurs. Autrement, il est parfaitement chiant. Face de carême.

Pas capable de baiser à part de ça. Recule comme une jeune vierge à chaque essai. Allez chercher pourquoi on s'envoie en l'air ailleurs que chez soi, après ça. À quoi sert le mariage si ça vous assure pas une baise régulière et satisfaisante?

Eh bien non, le monsieur ne veut pas. Il s'accroche à ses bobettes et considère sa dame avec horreur. Très bien, le monsieur. La dame va aller s'amuser plus loin. Elle a déjà jeté le petit Lacombe, mais elle va trouver mieux. Le grand Godbout peut-être. Ou Étienne... oui, Étienne plus que Godbout.

Disons le premier qui dit oui.

Inutile de préciser le premier qui essaie. Toute une gang de paralysés, on dirait. Faut se taper toute la job, incluant le blow-job.

Hon... le cocker a dit toute liberté. Fuck le style pis swingue la baquaise! Crisse, j'ai encore oublié le je.

Ben oui, ben oui, mon p'tit cookie-cocker, « je » va s'exprimer librement. « Je » voit même pas pourquoi elle s'assoit devant vous deux fois par semaine pour écouter son mari dégouliner de sentiments effrénés. Il pleure beaucoup, le pauvre homme. On se tanne vite, si vous voulez dire comme moi. Non, vous le direz pas. Les acteurs qui se font venir en braillant laissent habituellement le public en rade derrière eux. Ils se pensent très forts, mais les gens font leur liste d'épicerie dans la salle pendant leurs crises d'abandon. Les acteurs trop performants sur la larme devraient assister à une seule séance avec le cookie, le cocker, le caca : grande leçon de sobriété.

Une séance serait suffisante.

Me semble (ceci est pour le bénéfice du je).

Ensuite, les choses me reviennent par flashs. Le plus puissant, c'est quand j'ai revu ma fille à l'hôpital.

Ils l'avaient habillée avec une petite jaquette rose. Ses pieds dépassaient. Nus. J'aurais préféré qu'ils lui remettent sa dormeuse si chaude. Pour les pieds, surtout.

J'étais seul. Je ne me souviens de personne d'autre. Je me suis approché. Elle dormait, les yeux fermés. Elle dormait paisiblement.

Ses cils étaient très longs et courbés. J'ai toujours trouvé ça bouleversant, cette courbe des cils contre la courbe de la joue, chacune dans sa direction, chacune dans sa perfection. Sa bouche était encore gonflée — comme si elle avait tété sa mère trop longtemps. Sa main gauche était presque fermée, je me suis souvenu avec quelle hâte j'avais compté ses doigts et ses orteils à sa naissance. L'angoisse qu'il en manque. Je les ai recomptés minutieusement. Dix et dix, absolue perfection. Il y avait un ongle mal coupé qui aurait pu lui égratigner la joue, j'ai retiré la parcelle qui bâillait. La main était raide. Comment un petit bébé aussi rond, aussi potelé peut-il être aussi rigide? Je l'ai prise contre moi, pour qu'elle redevienne chaude et souple. Ses cheveux, son léger duvet sombre était tout ce qui bougeait dans son corps. Je les ai respirés en faisant les cent pas : ça sentait l'hôpital, le produit pharmaceutique. L'odeur poivrée d'Érica, comme sa dormeuse moelleuse, était disparue.

C'est à ce moment-là que j'ai su qu'elle était morte. J'ai marché en espérant qu'à force de chaleur, je pourrais ressusciter l'odeur et ensuite ma fille. Quel est ce personnage de la Bible que Dieu rend vivant en soufflant dessus?

Je ne suis pas Dieu.

La petite fille sculptée dans la pierre que j'ai déposée sur la civière était parfaitement ressemblante, mais ce n'était pas ma fille. Érica gigotait de bonheur quand on la prenait et elle rouspétait un peu quand on la recouchait. « Elle est déjà gâtée », a dit ma mère à Noël.

Déjà.

Je ne vois pas pourquoi je me tape toute cette chronique en plus de tout ce que j'ai à faire. Horaire infernal. Avec les répétitions qui commencent dans deux semaines, le « journal du je » va tenir en trois lignes. Laurent a l'air parti pour un trip de catatonique. Pas un mot, pas un geste, le regard morne quand ce n'est pas accusateur. Très agréable. Tout ce qu'on rêve de retrouver en rentrant chez soi le soir. Il s'endort sur le divan et moi dans mon bureau. J'ai tellement ri en racontant ça à Étienne. Ben oui, c'est Étienne finalement. Beau body, ben de l'élan et pas d'états d'âme, ce qui représente un net bénéfice sur l'ordinaire.

Shit ! Il est trois heures, j'ai un essayage.

Ah oui : le cocker veut plus me voir avec Laurent. Elle trouve qu'on s'entrave mutuellement. Mets-en ! La prochaine fois, j'irai avec Étienne, elle va voir c'est quoi de la collaboration : pas un mot d'un bord ou de l'autre. Disons… quelques gestes signifiants qui parlent par eux-mêmes.

Je ne sais pas ce que je vais faire de mes tête-à-tête cockériens

tête-à-tête coq et rien

tête à coq, tête à rien

p'tête ben.

Faut-tu avoir du temps à perdre !

Trois heures vingt — ça y est ! Elle court encore !

Quand je suis rentré à la maison, l'après-midi s'achevait. Il neigeait et le froid était moins vif. Je ne sais pas pourquoi j'étais seul. Probablement que je l'avais voulu. Ma mère a dû venir à l'hôpital. Je ne sais plus. Toutes les lumières étaient allumées chez nous.

J'avais l'impression que je m'étais absenté des mois. Le téléphone sonnait. J'ai mis le répondeur. J'ai baissé le volume. Le silence est revenu régner. J'ai voulu me précipiter dans la chambre d'Érica et je me suis assis dans les marches pour m'en empêcher. Il y avait un coin de plancher où le tapis avait été mal coupé. Tout au bout de l'escalier, sous la console du téléphone. J'ai regardé ce coin de tapis mal foutu pendant des heures.

Je ne pensais enfin plus à rien. Je n'avais pas pleuré. Je n'étais plus inquiet. Seulement très calme. J'écoutais le silence. Je ne peux plus imaginer ma vie sans ce silence maintenant. Quand je me suis relevé, il faisait noir et froid. J'étais courbaturé, j'avais l'impression de m'être infligé un exercice inhabituel qui me tordait le corps.

Je suis resté sous la douche jusqu'à ce qu'il n'y ait plus d'eau chaude. Quand j'en suis sorti, je me suis juré d'acheter un réservoir plus grand. Je ne suis pas monté à l'étage. J'ai mis des vêtements d'été rangés dans le walk-in du sous-sol. Quand je suis remonté, mon associé m'attendait avec sa femme dans le corridor. Ils avaient l'air catastrophés et empruntés. Je pense que j'ai eu pitié de leur malaise, je ne sais pas. On s'est assis en silence dans le salon. Je ne sais pas à quelle heure ils sont partis ni s'ils sont partis. Je sais seulement que Simone répondait au téléphone en murmurant sans arrêt et que Jules-Philippe me souriait piteusement chaque fois que ça sonnait. Il a sorti le cognac et on s'est soûlés.

Je ne sais pas combien de temps ça va durer, son suivi, mais la madame chien commence à me tomber sur les nerfs sérieusement. Finalement, j'aimais mieux avec Laurent. Il râlait, il se lamentait, mais il l'occupait. Là, je l'ai pour moi toute seule et c'est pénible en maudit. J'y ai conté toutes les cochonneries que je fais avec Étienne, ça a pas l'air de la distraire ou de l'impressionner. Ça doit être une méchante vicieuse sur son temps off.

J'y ai même demandé des nouvelles de Laurent et elle a pris le petit air réjoui qui me donne envie de l'assassiner pour me fixer sans rien dire. J'ai rien rajouté.

Je suis partie.

Je reviendrai quand ça me tentera.

Elle serait heureuse de voir que j'ai continué mon exploration du je existentiel.

Suis-je là? Existe-je? Me pourlèche-je dans mon moi-même? You bet, mon cocker, and I enjoy it!

Étienne commence à avoir une conscience, ce qui gêne sérieusement ses performances.

Par chance, je viens d'accepter une petite télé dans laquelle Yves joue. Yves, si ma mémoire sensorielle — et non émotive, ma petite stanislavskienne cocker — est bonne, Yves s'était beaucoup démené à l'époque pour rester « le meilleur amant jamais baisé auparavant ». Il avait perdu aux bras de Laurent. Aladin lui réservait un vœu pis y le savait pas.

Nathalie n'est pas sortie de l'hôpital avant les funérailles. J'ai tout organisé. Je suis allé la voir pour lui en parler. Elle m'a fait une colère parce que je portais une chemise d'été à manches courtes. Quand j'ai dit « Érica », elle s'est levée et m'a annoncé qu'elle partait une semaine dans le Sud. J'ai demandé si elle viendrait aux funérailles de sa fille avant. Elle a haussé les épaules.

Je sais, ça s'appelle un choc. Je sais, Mme Cantin m'a tout expliqué en long et en large. C'est d'ailleurs pour essayer de s'en sortir qu'on va la voir. Enfin, qu'on allait. Que je vais. Qu'elle va peut-être.

Le choc.

Celui du cercueil blanc, si petit, si léger. Celui de ce corps qu'on ne finissait pas par nous rendre. Celui des gens qui me dévisageaient. Les anges. La cérémonie des anges, que ça s'appelle. Pour la même raison qu'on s'est mariés, Nathalie et moi, Érica a été baptisée : pour la fête, pour le plaisir de célébrer. Érica a eu droit à une messe des morts. Une cérémonie des anges, même si ça ne s'applique pas à strictement parler. J'ai porté son cercueil tout seul. Comme je l'avais portée, elle, à l'hôpital.

Le choc. Combien de temps pour brûler le corps d'un bébé ? Des os si petits, dix doigts, dix orteils, un duvet sombre. Les fossettes, les petits plis. Combien de temps pour une poignée de cendres blanches ?

En rentrant à la maison, le soir des funérailles, j'ai trouvé Nathalie, coiffée de frais, la petite valise faite. Elle attendait sa sœur qui allait la reconduire à l'aéroport. J'ai pensé que je la tuerais. J'ai hurlé tout ce que j'avais sur le cœur depuis la mort d'Érica, j'ai fracassé sa valise sur le mur et Nathalie s'est mise à l'abri avant que je ne lui fasse subir le même sort.

Au téléphone, la voix posée, elle a dit en me fixant d'un œil glacial : « Tu comprends, mon mari a besoin de moi en ce moment. » Puis elle s'est approchée en déclarant vouloir baiser.

Je ne savais pas ce qu'était la haine avant ce moment-là.

La méthode de Laurent est aussi simple que son raisonnement : on est un couple, on doit passer par les mêmes sentiments. Je l'ai marié, lui, pas sa propension au drame. Et avant d'éprouver les mêmes sentiments, on est supposés partager le même lit. Il repassera pour sa notion bancale du couple. Pour l'instant, je ne sais plus où donner de la tête : répétitions matin et soir, baise en après-midi et, bien sûr, tenue du registre émotionnel aux heures des repas. Dieu merci, Étienne me fait répéter mon texte. La Madame ne m'a pas revu la face. Je la boude.

Quelquefois, je croise Laurent à la maison — il n'a pas l'air de savoir que je fais l'école buissonnière du cocker (les autres galipettes non plus d'ailleurs, mais ça ne l'intéresserait même pas). Pas mal de classe, la Madame, ça lui donne dix points de boni.

Laurent me fait des remarques sur une seule chose : j'ai recommencé à fumer. Ça le gêne beaucoup. Bien sûr, c'est surtout qu'il s'en fait pour ma santé, mes laryngites aiguës, etc. Il a une âme de missionnaire, Laurent. Quand il va savoir pour la Madame-pipi-caca, il va s'en faire pour ma santé mentale. Et quand il va savoir pour Étienne et bientôt Yves, il va s'en faire pour le sida. Un inquiet, Laurent. Un torturé du lendemain. Un appel à l'aide déguisé en sauveteur.

Ai-je marié cet homme-là ? Il a dû beaucoup changer.

C'est ma mère qui a vidé la chambre d'Érica. Je n'y étais jamais retourné. Nathalie non plus, à ce que je sache. Mme Cantin a été étonnée d'apprendre que nous n'avions jamais tenté d'y aller ou d'en parler.

Après le soir des funérailles, je n'ai jamais parlé d'Érica avec Nathalie.

La résistance de Nathalie est phénoménale. Jamais elle n'a craqué. Devant Mme Cantin, quand celle-ci l'interrogeait après un de mes monologues, elle se contentait de sourire gentiment en allumant une cigarette. Elle avait aussi cet art achevé de regarder ostensiblement sa montre.

Tiens! Je fais son procès. Exactement le piège dont je me méfiais. Mais la mort d'un enfant, c'est toujours le procès d'un couple, non? À moins que ce ne soit que la mort des parents. Subsiste ce qui peut. Pour Nathalie et moi, c'est rien. J'ai besoin d'elle pour une seule chose : la haïr. La voir allumer une cigarette et penser que notre fille est morte parce qu'elle a fumé quand elle était enceinte, enfin, au début. L'observer quand elle ne le sait pas et la mépriser d'avoir été incapable de garder sa fille en vie.

Je joue une bitch. Une vraie. Un de ces personnages que le public va s'amuser à haïr comme il ne se le permet jamais dans la vraie vie. Beau rôle, construction impeccable, mais mise en scène mollasse, sans caractère. Je travaille très fort pour ne pas m'engueuler tous les jours avec le metteur en scène. Incroyable pâte molle : il se laisse manipuler par notre star nationale et n'a de souci que pour une chose, que l'ambiance soit bonne. Je vais lui arranger ça, son ambiance. Pauvre con incapable. Son seul commentaire sur mon jeu : moins fort, moins sec, moins cassant, s'il vous plaît.

Ça, c'est du support et de la mise en scène! Étienne a l'air constipé et se cache dans son texte à chaque fois que je m'approche. Je me demande s'il a honte de la lâcheté qu'il a montrée en me laissant ou s'il a honte de ne pas m'avoir laissée avant.

Tiens! je fais ma cocker moi aussi! Il a honte, le pauvre chou, toutes nos cochonneries et pas un seul feeling, il va penser que je suis le personnage.

Il est aussi mou, aussi débandant que Laurent.

Pourquoi les gens malheureux prennent-ils une gueule de pitoyables?

Pour être sûrs qu'on va leur foutre la paix?

Faut pas s'étonner qu'ils se précipitent tous sur le malheur comme des affamés.

L'hiver est interminable. Je sais que ça fait cliché, mais c'est vraiment une des choses pénibles de mon existence : la neige et l'hiver. Ce ciel gris dont ne s'extrait que du blanc opaque. Le blanc du cercueil d'Érica. Cette maison de banlieue vide ou presque qui m'écorche les oreilles de silence. Cet étage où on ne va plus, où on ne dort plus. Cette cuisine où on ne mange plus. La maison est morte. On habite un tombeau. Rien ici qui rappelle la morte ou la vie quotidienne du temps de la vie. Tout a été enlevé minutieusement. Et le silence des objets enfuis est plus criant que leur présence. La chaise de bébé, les jouets, les couvertures, les vêtements, les photos, le petit parc. Même le siège d'auto. Ma mère s'est donné un mal fou pour ne rien laisser qui puisse me faire mal. Mais ça ne prend rien pour me faire mal. C'est pour me tuer que ça en prendrait encore. Je persiste à croire que ma vie, depuis la mort d'Érica, est inhumaine. Je voudrais parler de ma fille avec Nathalie. Je voudrais qu'on se laisse plutôt que de vivre cet enfer de désolation. Nous n'étions donc là, ensemble, que pour Érica ? La femme qui entre et sort de cette maison comme une étrangère n'est pas ma femme. Je le sais parce que sa voix n'est plus la même : plus haute, plus saccadée comme si elle ne respirait plus à fond, une voix de harpie qui commande. Bien sûr, c'est son rôle au théâtre qui change sa voix. Bien sûr...

Il neige encore... mourir de froid, c'est supposé être une très belle mort.

Mais qui pourrait accepter de mourir comme on s'endort ?
ou en dormant ?

Ça y est! Les complications qui nous tombent dessus. On va occuper notre analyste professionnelle avec cet os-là. Y a de quoi gruger, vas-y, mon cocker! Étienne a pris un air piteux et important pour me demander de me parler «privément». Son style, ça, le pompeux «privément»! Comme si tout le monde savait pas qu'on avait couché ensemble. Ça y avait pas pris de temps pour s'en vanter. «Privément», bien entendu.

Pauvre épais! Il a des sentiments, des émotions, des tortures intérieures, des désirs déplacés, des hontes foudroyantes, bref, le malaise. Tout ce que j'haïs. Y pourrait pas se contenter d'avoir des appétits? Faut toujours qu'ils rêvent comme des minables? Pourquoi ils se contentent pas de vivre dans la réalité? Trop raide à leur goût? À quel âge ils finissent par se sentir grands, ces belles machines à baiser?

J'ai bien sûr gardé mes commentaires pour cette édifiante sortie du je. J'allais pas gaspiller un sujet pour lui dire quoi que ce soit. Étienne ne voulait pas m'entendre, d'ailleurs, il voulait parler, faire semblant d'être un être humain, se rassurer sur lui-même et sur sa sensibilité. Téteux! Humanité, mon cul! La chienne l'a pogné que sa femme l'apprenne, c'est tout. Y a même pas peur de tomber amoureux. Trop mou, trop absent pour ça.

De toute façon, je sais mon texte par cœur, plus besoin de répétiteur.

Je répéterai celui de la télé avec Yves.

Les affaires vont mal. Ça ne me dérange pas beaucoup personnellement et j'avoue que c'est ma faute puisque je refuse presque tous les contrats. J'ai plus d'idées. Il faut pouvoir avoir des idées quand on dit à un client qu'on va s'occuper de lui. J'en ai pas. Je sais, c'est temporaire, c'est lié à mes problèmes de famille, ou plutôt d'absence de famille, mais ça ne fait rien. J'ai plus d'idées, pourquoi accepter de nouveaux clients? Jules-Philippe, mon associé, panique pas mal : il a une grosse hypothèque à payer et trois enfants. J'entends très bien son envie de me hurler de me ressaisir. Il ne s'est pas associé au bon gars, c'est tout ce que je peux lui dire. De toute façon, comment convaincre un client qu'il a raison d'avoir confiance dans un gars qui couche son bébé un soir et le retrouve mort le lendemain? Comment croire qu'il est entre bonnes mains?

C'est sûr qu'un client est moins important qu'un enfant.

Sincèrement, j'aurais bien de la misère à me soucier du succès d'un client.

Pour être honnête, je m'en fous complètement.

Je suis prêt à vendre mes parts si Jules-Philippe les veut.

Tiens… Nathalie me fera vivre un peu. Elle travaille assez pour deux.

Elle dormait, elle aussi.

Quand je l'ai vue, j'ai pas allumé.

Je pensais que c'était une assistante quelconque pour la régie, l'éclairage, les costumes, je sais-t'y, moi ! C'est notre star nationale qui m'a murmuré que c'était la femme d'Étienne. Sauf qu'Étienne ne répétait pas.

Une petite jeune, blondasse, fadasse, une insignifiante qui a dû avoir son heure de gloire dans un lointain concours de beauté régional entre la vache Holstein et les chats siamois.

Il a fallu prendre un café, faire semblant de l'écouter, éteindre une cigarette qui la gênait, pauvre petite, et même lui dire que son mari ne m'intéressait pas. Pas du tout. Que je le trouvais même plutôt nouille.

Sa tête ! Cette façon de s'enfarger, de balbutier, de ne pas ouvrir la bouche pour parler ! J'aurais pu lui suggérer des cours de diction ou hurler : articule, si tu veux être comprise ! La molle a fini par prétendre qu'il m'aimait et avait tout avoué.

Je m'ennuyais. Elle continuait. Elle a sorti son kleenex, tout prêt dans sa petite sacoche. Très touchante. Très poupoune. J'ai trouvé qu'ils se méritaient tous les deux. Grâce à moi, ils vont avoir quelque chose à discuter le soir, un beau morceau de culpabilité à savourer doucement au coin du feu.

Et puis elle n'a plus eu rien à dire. La panne, le blanc. Peut-être que ça l'avait soulagée. On ne sait jamais avec les gens simples. Elle m'a assurée qu'elle ne m'en voulait pas, avant de se lever pour partir. Je l'ai assurée que rien ne pouvait me faire davantage de bien. Elle a hésité, n'a pas eu l'air de soupçonner l'humour, elle a ouvert disgracieusement la bouche. Je l'ai arrêtée en disant que je payais son café, bien sûr.

Elle marchait comme un canard.

C'est toujours comme ça à partir du septième mois.

Combien de temps un être humain peut-il ne pas dormir? Mme Cantin ne sait pas. Les médecins ne savent jamais répondre à ce genre de questions. Ils ont des médicaments, pas des réponses. Pourquoi un bébé meurt-il dans son sommeil sans appeler, sans faire un son? Pourquoi la nuit et le silence deviennent-ils des ennemis? Pourquoi l'aube prend-elle des allures de fausse promesse chaque fois qu'elle se présente sans qu'il y ait une couche à changer, un bébé à porter à sa mère? Pourquoi les petites heures que je vole au cauchemar du réel sont-elles remplies de hurlements qui m'éveillent en sueur?

Je voudrais rêver à Érica. Je rêve que je poursuis un dos inconnu ou que je suis poursuivi par quelqu'un qui n'a pas de visage. Pas une seule fois, je n'ai revu le visage de mon bébé.

Quelquefois, je suis obligé de me concentrer pour la revoir, l'imaginer. Ses traits m'échappent. Pas son odeur. Je dois sortir la photo que j'ai cachée dans mon portefeuille pour la retrouver et j'ai honte.

Inutilement, mais honte quand même. Je voudrais savoir si Nathalie cherche le visage de sa fille dans sa mémoire. On dirait qu'elle n'a jamais eu d'enfant. Qu'elle l'a biffée de son existence. Que sa mort l'arrange.

Elle dort si bien, si profondément. C'est plus fort que moi, la nuit, je vais jusqu'à son bureau et j'épie les sons furtifs, j'écoute si elle dort. Toutes les nuits. Et elle dort. C'est pour ça qu'il ne faut pas qu'on se laisse. Pour me permettre d'aller vérifier si elle dort.

Il faut toujours surveiller le sommeil de son ennemi. Sans repos.

Je me suis retapé Étienne. Par pure vengeance, c'est vrai. M'énerve que sa femme croie qu'elle peut intervenir comme elle veut dans ma vie. Elle n'a qu'à s'occuper de la sienne et cesser de vouloir contrôler mes envies. Elle aurait mieux fait de rester chez elle. J'y aurais pas retouché, à sa lavette coupable. Il a pas pu s'empêcher de parler. D'elle. De moi. Pourquoi les coupables sont-ils si bavards? Ils pourraient pas assumer en silence? Faut toujours qu'ils nous abreuvent de leurs raisons, de leurs justifications. Ça pue, cette manie de se vomir. Laurent est pareil. La Madame cocker qui l'encourageait en plus avec ses airs de mère nourricière qui va prestement remplacer les larmes par une bonne tétée. Quelle race de dégoûtants quand même : toujours la bouche ouverte pour s'expliquer ou pour téter.

Étienne est reparti en courant avouer sa faute à sa légitime.

Je pense que j'irai pas à la répétition de demain, presque certaine que bobonne va venir pour un café.

Je veux pas être cheap, mais ma tournée est passée.

J'en ai plein le cul de leurs petits drames sans envergure.

Reçu le rapport d'autopsie. Rien. Aucune raison, aucune cause connue. Hypothèse : du stress, absence d'un certain réflexe d'autoressuscitation. Comme ça. Un bébé de neuf semaines serait supposé se ressusciter lui-même ? Bravo ! Il semble que ça arrive. Toutes les statistiques sont là. Pas un seul de ces chiffres ne s'appelle Érica pour moi. Pas un. Était-elle sauvable ? Savent pas. Probablement pas. Fatalité. Rien à faire. Condoléances. Ah oui, un début d'otite — voilà ce qu'ils ont trouvé en la fouillant, en ouvrant mon bébé comme un poulet, en la vidant de ses minuscules organes.

Normaux, tous normaux.

Même sa mort est normale.

Où est la tumeur ? Où est le ventricule bouché, le poumon estropié, le cerveau mal connecté ? Nulle part. Un enfant sur le ventre au lieu d'être sur le dos. Mais rien ne garantit que ça ne serait pas arrivé sur le dos. Trop chaud peut-être. Savent pas. Savent rien.

Ne sont sûrs que d'une chose : elle est morte. Érica est morte.

Elle est morte normale et en santé. Quelle dérision !

Ils ne savent pas que c'est pire, que c'est atroce de n'avoir aucune raison ? Ils ne savent pas, ces gens-là, que quand on a pris le risque de faire un enfant à une femme de quarante ans, on a besoin d'une raison valable après l'amniocentèse et les mille précautions ? Dites-moi au moins qu'on n'aurait pas dû, que c'était fou, présomptueux, fatal. On a compté ses orteils, ses doigts et ses chromosomes — tout était là, rien en moins, rien en trop. Mais non, les statistiques prétendent en plus que ça arrive plus souvent quand la mère est jeune.

Cause du décès — inconnue ou presque : syndrome de mort subite du nourrisson.

Bien sûr, bien sûr.

Et moi aussi, je suis mort le 17 janvier 1995, seulement l'autopsie est remise à plus tard.

Cause du décès — la mort subite du nourrisson.

Je vais quitter le spectacle, je pense. Oui, je vais quitter avant qu'y soit trop tard. Je veux dire avant la première.

Mésentente avec le metteur en scène. Divergence fondamentale quant à l'approche. Une bitch plus douce, plus coulante qu'a veut, la tapette. Ben, qu'a se la trouve! Faudrait humaniser la bitch asteure! Lui ai proposé de porter un T-shirt proclamant mon horreur des tests sur les animaux. M'a pas trouvée drôle. Qu'y aille chier! Ça a l'air que j'ai un problème de souplesse. Trop raide et trop péremptoire. En plus, je suis pas facile à négocier. Il piétinait, se pognassait le foulard, y avait chaud en crisse : que d'émotions pour un petit metteur en scène de trente ans! Déjà que la star nationale lui donne des boutons, le voilà qu'y s'effouère devant le deuxième rôle. Pis ça veut prendre des décisions, approfondir sa vision, élargir son concept! Let's go, mon coco. Élargis pis charche — mais sans moi. Tes angoisses de créateur me font pas un pli sur la bedaine. Occupe-toi de me remplacer, ça va te donner une bonne raison d'avoir manqué ton coup. Ton concept rétréci va se trouver justifié. Un vrai service que je te rends! Tu pourras prétendre que t'adores les acteurs, mais qu'il y a des sacrifices ou des compromis auxquels ton art ne peut s'obliger. Faire comprendre que tu les adores, mais qu'ils n'ont pas d'allure, surtout quand ils ont des idées. Au lieu de dire que le despote cool ne supporte ni l'adversité ni la contrariété. Moumoune, va!

J'ai posé le rapport d'autopsie sur son oreiller dans le bureau et j'ai attendu. Rien.

Deux jours et rien.

Je l'ai trouvé dans la poubelle du bureau. Encore heureux qu'elle ne s'occupe jamais de la vider.

Je l'ai replacé sur son oreiller.

Je l'ai retrouvé déchiré en mille morceaux, dans la poubelle de la cuisine.

Bien fait pour moi, je suppose.

Bien sûr que je voulais une réaction! Est-ce que c'est normal qu'en plus d'un mois on n'ait *jamais* parlé ensemble d'Érica? Je ne sais même pas si elle est au courant que sa fille est morte.

J'ai demandé à Mme Cantin de recommencer la thérapie à deux. Au moins, comme ça, on se trouve face à face pendant deux heures par semaine.

Nathalie n'y va plus. Depuis plus de quinze jours!

Et, bien sûr, j'en savais rien. C'est pas de mes affaires, y paraît.

Je vais lui en faire un passage normal et un droit à la confidentialité. Elle voit pas que Nathalie est en plein déni? En refus malade, en état mental dangereux?

Je sais que je ne vaux pas beaucoup plus cher la livre, mais me semble que tant que je suis dans cette maison, avec elle, je suis toujours son mari. C'est pas parce que je lui en veux à mort de m'avoir abandonné avec le cadavre d'Érica que je vais la laisser se jeter à l'eau.

Qu'on s'aime encore ou pas n'a aucune espèce d'importance pour l'instant.

Nathalie est en train de crever et je suis encore là. Alors, je ne la lâcherai pas.

Je sais pas ce qu'ils ont tous, mais ils sont collants : Laurent, Étienne, mon petit metteur en scène préféré et la Madame chien — ça bippe sur un maudit temps ! Laurent a envie de s'immoler sur l'autel de la culpabilité, je suppose, la Madame doit avoir son voyage de se faire bouder, mon metteur en scène panique parce que son premier choix d'actrice (avant moi, mais le producteur en avait pas voulu) est occupé ailleurs pis personne veut prendre ma relève à si peu de jours de la première. Étienne, lui, doit avoir une dernière chose essentielle à discuter avec moi, ce qui veut dire s'envoyer en l'air une dernière fois en se faisant accroire que c'était pas prémédité, vu qu'y voulait juste me parler de sa femme. Je mets un vingt qu'y en a pas un qui va me surprendre dans le tas.

Et pis non, je parie plus sur du monde transparent et même pas ratoureux. J'attends le téléphone du producteur avant de retourner au théâtre. Je vais lui expliquer comment je conçois la bitch pis y va aller faire mon message à la moumoune. Si c'te petite tapette-là avait de l'envergure, y comprendrait que c'est ça, une vraie bitch !

Répétitions à la télé aujourd'hui : Yves est plus dur qu'avant. Poli et froid comme un comptoir de cuisine en mélamine. L'avais-je-tu blessé, cout donc ?

Problème de mémoire ou encrassage du disque dur ? Allez, je ne passe pas par go et je ne collecte pas deux cents piasses.

Madame le teckel savait pas que j'apprécierais autant sa méthode 101 de thérapie : formidable, le journal, pour la mémoire défaillante.

En me forçant un peu, je pourrais même m'arranger pour que Laurent en bénéficie. Je vois ta gueule, salaud, quand tu vas lire ce passage — encore un peu de remords sur ta montagne de remâchage fielleux. Ça va t'organiser l'ulcère. On lit pas quand on sait pas encaisser.

Je vas-tu les lire, tes niaiseries, moi ?

Il est impossible qu'elle n'y pense pas. Qu'elle n'en parle pas, d'accord. Qu'elle refuse d'en discuter, d'accord. Mais on dirait qu'elle a oublié, qu'elle ne sait même pas qu'elle a eu un enfant. Si c'était sain, je ne ferais rien, je ne bougerais pas. Mais c'est fou. C'est dangereux et je ne la laisserai pas faire. Je suis toujours son mari. Je suis encore là. Tout n'est peut-être pas perdu pour nous. Il y a du chemin à faire, je lui en ai beaucoup voulu, mais c'est fini maintenant. Si je veux tant la protéger, ça doit être que j'ai encore des sentiments pour elle, non ? Je sais bien qu'elle me trompe, qu'elle baise ailleurs, y a cet acteur qui n'arrête pas de l'appeler et qui prend la peine de donner des raisons profession-nelles. Genre de comportement qui ne ment pas. M'en fous. Elle peut baiser qui elle veut. C'est pas ça, l'important.

Je veux la retrouver. Je refuse de tout perdre.

Je ne sais probablement pas comment m'y prendre, mais je vais y arriver.

Hier soir, je lui ai fait couler un bain avec de la mousse, comme elle aimait tant. L'heure du bain d'Érica était l'heure de félicité totale de toute la smala, comme elle disait. Elle est arri-vée alors que je finissais d'allumer les chandelles dans la salle de bains. Je lui ai crié deux fois que c'était prêt, que le bain était juste à la bonne température. J'ai entendu la porte claquer.

Elle n'est pas rentrée cette nuit.

Ce matin, Érica aurait eu quatre mois.

Ça file doux dans le zoo. Tempête de neige dehors, calme plat au théâtre. Y ont eu la chienne… ma petite moumoune arrête pas de me servir des refills de café, y rit à chacune de mes répliques même quand c'est pas drôle, Étienne me regarde avec des yeux de saint-bernard (encore les chiens! ça me colle au cul, vivement un loup ou une autre bête féroce, j'en ai ma claque des toutous), et notre star nationale m'a laissée faire mon entrée sans tirer la couverte de son bord. Comme quoi l'humanité est constituée de quatre-vingts pour cent de martyrs qui réclament leur couronne d'épines en gémissant d'impatience.

Du coup, j'ai envie de partir pour de bon. Is there anybody out there? C'est pas pour chialer, mais tout le monde a l'air pogné dans glace ici.

Y a Yves qui grince des dents à chaque répétition télé. Intéressant… En voilà un qui résiste avec opiniâtreté, si ce n'est pugnacité. Tiens, j'ai des velléités littéraires — merci, mon caniche, de me distraire de ce mars délétère

déléyé dans l'éther
néyé dans l'éther
néyé dans la terre

Cout donc, moi, quand est-ce que je suis retournée dans mon joyeux pavillon de banlieue, en compagnie de mon non moins joyeux drille de mari?

On va laisser passer la première.

Je l'ai vue. Hier, à la télé, il y avait une de ces idioties où les gens qui sont invités sont constamment interrompus par un animateur qui se déshabillerait plutôt que de leur laisser une chance de finir leur phrase. Bon — elle était belle. Quarante et un ans et pas de traces des dernières semaines. Sa première est demain. Elle n'est pas revenue à la maison. Elle papotait, elle riait. Je l'aurais tuée. Ça doit faire partie de sa thérapie, ça, d'avoir l'air en forme.

Et puis il y a eu ce moment incroyable. L'animateur a demandé si elle ne trouvait pas ça trop dur de jouer aussi vite après « les événements que l'on sait ». Elle a eu ce sourire mielleux qui n'en est pas un vrai, mais ça, on est très peu à le savoir, elle a légèrement incliné la tête, petit geste charmeur bien connu des intimes et elle a murmuré un « non… pas du tout », qui a fermé la gueule de l'autre assez net. C'est sorti comme dans les films policiers, quand le mafioso intime gentiment à sa victime de se tenir tranquille sinon… Et lui, l'imbécile, incapable de résister, a fini le « segment » en demandant si elle avait d'autres enfants. Nathalie est partie à rire et lui a demandé si la prochaine question porterait sur le nombre d'amants qu'elle entretenait secrètement et que, si c'était le cas, elle aurait bien besoin de la pause publicitaire pour faire le compte.

Comme elle est amusante et spirituelle, ma femme !

Jamais tant reçu de fleurs pour une première. Même la star nationale verdissait devant ma loge. Qu'est-ce que ce sera à mes funérailles ? Ça fait rêver, vraiment ! Étienne, toujours aussi prévisible, s'est ruiné pour avoir l'occasion de m'écrire une longue lettre sans ratures. Je le vois mettre ses trois jours à composer ses brouillons. Il a dû les laisser traîner pour tenir sa poupoune informée sans lui parler : un homme, un vrai, quoi ! M'ennuie profondément.

Laurent-le-bêlant m'a envoyé ce qu'il y avait de moins cher pour pouvoir y annexer les trois pages de messages téléphoniques reçus pour moi, dernièrement. Sans commentaire.

On s'est soûlé la bette au party de première. Toutes les substances interdites et dangereuses à portée de nez. Suis arrivée au studio pour ma répétition télé juste à l'heure et, évidemment, fraîche comme une rose. Yves a fait sa crise de vedette : refus de répéter avec quelqu'un dans cet état. Très bien ! Je vais me coucher dans ce cas. Fuck you, Yves, je t'aurai bien dans le détour.

L'avantage de jouer une bitch, quand même… c'est qu'elle nous fournit gracieusement les répliques.

Je me suis habillé pour y aller. J'avais réservé, tout. Je m'étais conditionné à revoir tous ces gens, à me taper les « comment ça va ? » lourds de sous-entendus et à faire semblant de répondre aux « comment elle va ? » curieux qui suivraient.

Pas pu.

Ça fait deux mois aujourd'hui qu'Érica est morte. Deux mois. Dans une semaine, elle aura autant de mort que de vie à son actif : neuf semaines. Un équilibre parfait avant que la mort ne gagne. Mais neuf semaines et deux jours de vie, soixante-cinq jours de bonheur et d'inquiétude, soixante-cinq jours à voir son bébé grandir, à voir ses yeux s'allumer quand tu te penches pour la prendre, soixante-cinq jours à guetter le rot, à embrasser la bedaine, à mettre de la poudre, à huiler le crâne qui pèle, à sourire de la voir si affamée, si vindicative, soixante-cinq jours à si mal dormir parce que, la nuit, elle peut avoir besoin... ça prend combien d'années à effacer ? Combien de temps pour tuer ce qu'on a attendu beaucoup plus que neuf mois ?

La femme qui courait chez son médecin avec son éprouvette de sperme chaud enfouie entre ses seins, la femme qui aurait loué un ventre pour faire cet enfant qu'elle a fini par attendre à force de volonté et de persévérance, cette femme-là a une première ce soir. Son « petit-deux-temps » célèbre ses deux mois d'absence ce soir, mais Madame a une première. Parce qu'il lui manquait deux, trois petites choses pour tomber enceinte sans aide, le bébé s'est fait en deux temps : une étape à la maison, Nathalie et moi, et l'autre à la clinique, avec le médecin qui avait trouvé la méthode inhabituelle, mais une actrice, n'est-ce pas ?

En neuf mois, je n'ai pas cessé de l'imaginer, ce petit impossible possible. Pendant soixante-cinq jours, je l'ai contemplé comme je n'ai regardé personne dans ma vie.

En deux mois, son visage a réussi à m'échapper par instants.

C'est supposé être le travail de la vie ou celui de la mort ?

Nous avions défié les dieux, c'est ça ?

J'en ai plein le cul de l'hôtel. Quand je me suis vue sortir mon décodeur, je me suis dit que le ridicule ne tuait pas et je suis rentrée.

Suis tombée sur Laurent en larmes dans le salon. Dégoûtant.

Peut-être qu'il a l'impression d'être humain, mais il a l'air d'un imbécile. Il se vautre dans son malheur pour en avoir partout et il s'étonne que ça n'attendrisse personne. Faut être fou pour penser que ça puisse toucher quelqu'un.

Dieu merci, il n'a pas cru bon de m'associer à ses dégoulinantes manifestations. De toute façon, je dois travailler : je viens d'accepter un radio-feuilleton, genre de revival du bon vieux temps qui me mènera à l'été, ou presque.

Beaucoup de travail et pas de texte à apprendre : décidément, j'aime la radio.

Les critiques sont bonnes. Toutes, sans exception. Des compliments à n'en plus finir. Une actrice au sommet de son art. Et comment! Et le sommet est beaucoup plus haut qu'ils ne pensent.

Mais quelle sorte de monstre j'ai épousé? Ça ne doit même pas figurer dans le répertoire du genre humain. Rien dans cette femme qui rappelle celle qu'elle était. On dirait une vie antérieure, un vague souvenir. Finalement, j'aimais mieux le silence quand elle n'était pas là plutôt que celui qu'elle installe maintenant.

Cette femme-là pourrait me tuer. Je me demande jusqu'où elle a envie d'aller pour me nier, me détruire, mépriser ma peine normale d'homme normal. On n'est pas tous des bêtes de scène et on ne brûle pas les planches, mais on enterre notre enfant, nous autres, les minables normaux. On les enterre et on s'en souvient.

Pour ne plus la voir, j'ai accepté trois nouveaux clients. Trois. Jules-Philippe exulte et sa femme n'arrête pas de nous inviter à souper. Je lui ai dit d'appeler Nathalie — qu'elle se débrouille avec l'actrice et qu'elle essaie de la faire décoller du sommet où elle plane. Bonne chance!

Yves est venu voir la pièce. Il a détesté. Trouve que j'utilise très mal ma voix. Que je prends tout ça une octave trop haut. Je lui ai confié que la tapette serait d'accord avec lui. Il m'a emmenée dans un endroit que je ne connaissais pas. Il était charmant et ferme. Il a pris la peine de me payer un repas pour m'assurer qu'il ne coucherait pas avec moi, pour me rappeler qu'il était déjà passé à la moulinette et que les maigres morceaux qui subsistaient pouvaient toujours être investis dans une amitié non recyclable sexuellement.

Technique d'approche qui s'appelle le recul. Du déjà vu.

Il ne m'a pas demandé comment j'allais. Du jamais vu.

En rédigeant l'annonce, je me suis demandé si j'écrirais *cause: décès* ou *cause: divorce* ou *cause: mort subite du nourrisson.* Mettre les trois aurait coûté plus cher, et qui ça intéresse? Quoique, il y a des gens qui se disent que du monde en deuil vont lâcher plus vite, qu'ils ont moins de combativité. J'aimerais être certain que Nathalie a vu la pancarte « À vendre » sur le banc de neige sale.

Je ne sais même plus si elle entend quand je lui parle.

Mme Cantin dit de laisser faire le temps, que chacun réagit selon ses possibilités et son passé. Elle semble ne pas vouloir aborder le sujet Nathalie. Et c'est pourtant ça, le problème.

Je crois que je vais arrêter de voir cette femme. Si Nathalie n'y va pas, je ne vois pas pourquoi j'irais, moi. On l'avait fait ensemble parce que le médecin nous l'avait demandé. Je ne me taperai pas tout tout seul, quand même! Moi aussi, je suis occupé, moi aussi, j'ai un métier exigeant et, moi aussi, j'ai mes préoccupations.

Un printemps précoce essaie de percer. Je vais peut-être continuer ce journal. Si Nathalie pouvait le lire, peut-être comprendrait-elle qu'elle aussi a de la peine, et que cette souffrance est quelque chose que personne mieux que moi ne peut partager. Je ne sais pas si ça se partage, mais c'est à nous deux. Elle l'a mise au monde, mais j'étais là.

C'est moi qui ai frotté son ventre et ses seins à l'huile d'amandes douces pour qu'elle n'ait pas de vergetures.

Et elle n'en a pas.

On m'offre une série. Pour l'été et un peu plus. Une histoire pour la télé, mais tournage cinéma en extérieur. Quatre épisodes de quatre-vingt-dix minutes. On change de lieux chaque fois. Bye Montréal. Bye la banlieue. Bye les relents putrides de Laurent. Dieu, que j'ai hâte! S'ils peuvent me teindre en rouge, me friser, me donner des lentilles de contact vert foncé qu'on bouge un peu!

Avec un peu de chance, quand je vais revenir, la maison sera vendue et tout ce qu'elle contient avec. Table rase! Le rêve… n'avoir rien à ramasser, rien à traîner. Je vais demander à Laurent de faire une vente de garage avec toutes mes affaires. Lui inclus.

Cet imbécile d'Étienne a laissé un message : ravi et ému d'annoncer qu'il a eu une fille. Ça pouvait pas attendre à demain, non ? Ils ont un jour de relâche par semaine et il faut qu'il fasse partager sa joie sans attendre ! Quel trou de cul ! J'aurais bien voulu que ce soit elle qui la reçoive, la nouvelle. J'aurais voulu lui voir la face quand le prétendant lui aurait rentré sa petite lame fine — elle a beau la faire cocue, l'épouse, elle a quand même mis au monde une fille. Cet épais-là va bercer un bébé, se lever la nuit, courir les couches, revenir en hâte du théâtre pour voir le dernier sourire après le boire de onze heures. Il a une fille ! Il l'annonce avec un vibrato attendri comme s'il ne savait pas qu'on a perdu notre fille. Est-ce qu'il s'imagine que ça va nous consoler ? Est-ce qu'il rêve de nous la mettre dans les bras ? Il peut se la garder. Il peut aller chier ! Espèce de sans-cœur. Je lui souhaite bien du bonheur, à condition qu'il ne vienne pas me narguer avec. Quand il saura ce que c'est que de partir en courant, torse nu, avec son bébé mou serré contre sa poitrine, quand il aura essayé de souffler tout ce qui lui reste d'air dans des poumons calcifiés, quand il aura frotté des heures et des heures deux pieds glacés à jamais et qu'il aura regardé brûler une petite boîte blanche qui donne une poignée de poudre blanche, cet imbécile de tête heureuse viendra me parler d'enfant. Pas avant. Il peut baiser ma femme, l'aimer, la haïr, il peut même venir le faire ici dans ce qui a déjà été notre lit, mais qu'il ne me parle pas d'Érica. Qu'il laisse ses mains sales sur ce qui est sale.

Le notaire avait posé la rituelle photo de famille sur son bureau. Pourquoi les femmes portent-elles toujours du rouge sur ce genre de photo ? Un rouge criard qui tranche sur le noir amincissant. Probablement parce que c'est le genre de photo qu'on fait dans le temps de Noël pour les vœux. La famille, l'épicier et, pourquoi pas, elle est si bonne, un agrandissement pour le bureau ? Et tous les membres de la Sainte Famille, en plus d'avoir eu affaire au même coiffeur et au même size de bigoudis, se sont fait maquiller par le même vieux bâton de Max Factor porcelaine beige qui leur donne un aspect mat plutôt inquiétant. La dame sourit gentiment, ses couronnes auraient besoin d'une retouche because la couleur, la fille lui ressemble dramatiquement et le monsieur a l'air de souffrir d'hémorroïdes saignantes qui l'empêchent de goûter le confort du beau fauteuil de similicuir.

J'ai manqué le premier tiers de son discours à contempler cette œuvre d'art. Ensuite, j'ai fixé son alliance qui étranglait son annulaire trop gras. Rien qu'à regarder l'alliance, on sait que sa femme fait bien la cuisine et que les séances de ballon-panier du collège ont pas longtemps été remplacées par les séances de baise.

Dans deux ans, y se tape son premier infarctus.

Une procuration, ça s'appelle. Je charge quelqu'un d'agir en mon nom, de vendre et vider cette maison pour moi — mon mari en l'occurrence. Aucun doute, il va vider la place et remplir son mandat. Il est très bon là-dedans. Le divorce par procuration, ça doit pas se faire. Surtout pas en donnant la procuration au mari.

Je n'y arrive pas. Ni à comprendre, ni à accepter, ni à pardonner. Je n'arrive à rien. Je me sens tellement nul. Je voudrais provoquer Nathalie pour être certain que je suis encore vivant ou qu'elle est encore dans ma vie. Les lettres de condoléances sont en tas devant moi. Il y a deux mois que nous aurions dû y répondre. Quand je l'ai dit à Nathalie, elle m'a fait le même sourire charmeur qu'elle a eu l'autre soir à la télé. Elle n'a jamais rappelé ses amis, pourquoi répondre aux lettres? Je ne me souviens plus de lui avoir parlé. J'ai envie de la battre. Envie de la détruire, de briser ses os, d'arracher son indifférence. Je veux revoir son visage défait de l'hôpital, son visage humain. La dernière fois que j'ai touché Nathalie, c'est la nuit du 17 janvier. J'avais voulu goûter le lait d'Érica, elle m'a un peu laissé faire en riant. Pour la première fois depuis la naissance d'Érica, nous avons ri et fait l'amour en toute liberté, sans se demander constamment si elle appelait, si on la réveillait. J'ai tout oublié. Elle aussi. Et quand elle a crié, je n'ai pas essayé d'étouffer le son en l'embrassant. Je voulais qu'elle crie. Je l'aimais. Elle était chaude et humide. Ses seins étaient gorgés de lait, si durs, si présents. Elle avait une façon de s'offrir, de me prendre en elle qui me faisait bégayer d'amour. Où est cette femme? Là où coulent le lait et le miel... C'est quoi le nom de l'ouragan qui dévaste tout et laisse une cicatrice boursouflée sur le sol sec à jamais? Il faut pourtant qu'il y ait eu une faute terrible pour causer un tel désastre. Je voudrais qu'on m'accuse, qu'on me condamne franchement. Je veux du bûcher, je veux des reproches, je veux qu'on m'achève, mais pas ce silence, pas le corps séché de cette femme brutale qui traverse le désert de la maison. Pas le silence en plus de l'absence de mon bébé. Rendez-moi quelque chose. Ne me dépossédez pas de tout sans m'enlever la vie. Dieu, que le monde est vide. Rendez-moi l'odeur de l'aube dans le cou adoré de cette femme. Ou alors, un instant, une seconde, laissez-moi encore goûter la joue sucrée de mon bébé, de ma petite fille envolée.

Le silence est si net, il pourrait me couper la gorge.

Fini l'enregistrement de la télé. Toute l'équipe au resto. Comme c'était relâche, on en a profité pour fêter — très fort et très tard. Yves était dans une forme splendide. Moqueur, railleur, tout devient aigu d'intelligence avec lui. Sur le tard, je me suis un peu remonté la veillée avec des substances allégeantes. Quel plaisir tout de même. Saupoudrez légèrement et le cœur vous bat, le désir vous pétille, le cerveau embraye, l'œil s'allume, le plate s'écrase, bref, on a beau être prévenu contre l'artificiel de ce paradis-là, ça vous coupe la douleur menstruelle assez net, merci. Du coup, les moroses disparaissent littéralement de votre vue. Les épais se confondent avec le tapis, on peut aisément et agréablement marcher dessus. Nous avons plané assez haut pour pas nous sentir redescendre. Ai-je joui? joli son, ceci: ai-je joui? Pas une tragédienne qui ait eu ça à dire de sa vie. Dommage! Oui, dit-elle, mais Yves a tenu parole: il m'a pitchée dans les bras d'un techno qui avait toute une technique. Bon, trêve de trivialité, la coquette qui sommeille au fond de moi, malgré mon esprit pénétrant et ma vive intelligence (pourquoi se priver? c'est mon journal au je de Madame l'épagneule!), la coquette me fait dire qu'Yves devra se lever de bonne heure si y veut garder ses morceaux recollés dans le même ordre.

Dommage que cette production finisse… mais c'est le printemps ce mois-ci, et ensuite, liberté totale du tournage; encore trois semaines de théâtre, le radio-feuilleton et I'll fly away.

Le sourire de Mme Cantin m'a semblé tellement méprisant que je l'aurais attaquée. Je lui ai dit que mon impuissance à atteindre Nathalie commençait à peser dangereusement sur mon équilibre. Elle a souri. Je l'amuse, la grosse maudite. Ou alors elle pensait à autre chose. Quelquefois, Érica avait un sourire comme ça dans son sommeil. J'en étais jaloux. Je me demandais à qui d'autre elle souriait déjà. Son premier sourire, c'est en dormant qu'elle l'a fait. Nathalie avait beaucoup ri de moi. « Ni à toi ni à moi, elle sourit à un gros sein en forme de lapin, mais y s'appelle Larry, ça te console-tu ? »

Il n'y a plus personne maintenant pour rire de mes excès et me calmer les nerfs. Je m'excite en silence, je rumine, je remâche mes reproches.

Je suis devenu un pauvre type.

Le pauvre type a donné son congé à la thérapeute.

La bonne dame m'a quand même tendu les coordonnées d'une association de parents de nourrissons morts.

J'ai jeté la carte dans le tiroir où cinq autre semblables attendaient. Cette pauvre femme avait vraiment hâte que je m'en aille. Cinq, ça ne peut quand même pas être un acte manqué de sa part.

Rémi m'attendait à la sortie du théâtre. Comme dans un film coté six, séquence du grand retour.

Faisait longtemps. Très longtemps. On marchait sur des œufs. On a failli se taire. Grande capacité d'esbroufe chez Rémi. Alors, se méfier. Il connaît tous les trucs pour vous retirer le tapis de sous les pieds à l'instant où vous vous sentez en sécurité.

J'ai pas baissé la garde — mais j'ai vu qu'il avait maigri. Je déteste ces traces visibles d'une maladie qui écrit son journal à même ta peau. On demande pas des nouvelles à ces gens-là, on les soupèse du regard et ça vous donne une idée du temps dont vous disposez. Y en a que ça fait tilter.

Comme il avait sa voiture, j'en ai profité pour lui proposer de le déposer quelque part.

Il a beaucoup ri et m'a raconté l'histoire de Dalida qui a été attaquée par un admirateur à coups de marteau à la sortie des artistes du Grand Théâtre de Québec. Il était juste venu raccompagner sa Dalida au parking. Il s'en fait beaucoup pour les maniaques au marteau, de ce temps-là.

Je n'ai pas pu le regarder partir. C'est lui qui s'est payé le coup d'œil sur la fuite de Dalida.

Il a quand même réussi à tirer le tapis.

Un comptable. Je suis devenu un vrai comptable. Combien de jours depuis sa mort, combien de jours de vie versus ceux de mort, combien de temps sans parler à Nathalie, combien d'heures elle passe ici, combien elle dort, combien de jours sans vraie conversation avec qui que ce soit. Avant, je savais toujours combien de boires Érica avait eus, combien d'onces presque, combien de rots — je savais combien de coups de pied elle donnait en une heure dans le ventre de sa mère ! Le travail a duré quatorze heures, dont quatre plates et deux très dures : bonne moyenne pour un premier à quarante ans. Toutes les statistiques, tous les chiffres, le comptable les a, y a qu'à demander.

Je ne sais pas si c'est la lune d'avril ou le fait que le temps de mort ait gagné sur le temps de vie, mais je suis allé interroger un voyant. Il m'avait dit d'apporter quelque chose ayant appartenu à Érica. Il n'y avait rien dans cette maison, ma mère a vraiment bien travaillé. J'ai fait une chose stupide : j'ai apporté une bouteille du lait congelé de Nathalie. Le lait de réserve qu'elle avait pompé de ses seins pour les urgences. Le lait avait eu le temps de décongeler. L'homme a touché la bouteille et a retiré très vite sa main, comme si elle brûlait. Il a dit : « Ça va pas. C'est pas bon. Le danger du feu. Je la vois courir comme pour échapper au feu. En elle. Le feu est en elle. Elle est en danger. Cette femme est en danger. Vous ne pouvez rien pour elle. Elle ne peut pas vous voir. Mais elle n'est pas morte, rassurez-vous. »

Je l'ai corrigé, j'ai voulu qu'il voie Érica, pas Nathalie. Il a hoché la tête en souriant et m'a dit qu'il ne voyait presque rien avec ce nom, que c'était léger et pas malheureux. Un soupir sans souffrances. La souffrance était ici, pas dans le prénom d'Érica.

Encore une niaiserie. J'ai donné cent vingt-cinq dollars pour savoir que je souffrais. Tout un voyant.

Je suppose que c'est en se rendant aux toilettes qu'il a rencontré le tapis et qu'il en a profité pour se soulager. Qu'il râle, qu'il s'apitoie, ça doit être normal. Mais qu'il vienne me dégobiller sur les pieds en balbutiant ses obsessions, ça sent la dump. Alors, je l'ai dumpé dans le bain, j'ai généreusement ouvert la douche et j'ai jeté les bouteilles de lait en les fracassant avec application. C'est clair que cet homme-là ne sait pas boire et que le lait/vodka est un mélange plus que douteux.

J'en ai profité pour paqueter mes petits et partir.

Ça nous évite un bien mauvais moment et de bien vilaines paroles.

Elle m'a jeté. Comme une ordure, comme une saleté. Pour un écart, un excès alors qu'elle ne s'en prive jamais, elle. Elle est partie en me laissant le tombeau d'Érica à vendre.

Est-ce qu'elle s'imagine qu'on n'est rien parce qu'on n'a plus rien? Que nous deux, c'était seulement Érica?

Comment il faut réagir pour avoir droit à son estime? À son attention?

Érica est morte et c'est comme si elle n'avait jamais existé.

Est-ce qu'il faut être malade, agonisant, se faire renverser par une voiture? Par quel bout on atteint la banquise Nathalie?

Je t'ai laissée tranquille, je t'ai laissée m'abandonner, me trahir, me nier, je t'ai laissée ne pas pleurer, ne pas parler, ne pas compatir. Je t'ai tout permis, je n'ai rien demandé et pourtant j'en avais besoin. Si jamais tu l'as oublié, on a eu un enfant ensemble, on l'a fait de peine et de misère parce que toi, t'étais pas normale, toi, il t'en manquait des bouts, toi tu pouvais techniquement à peu près pas avoir d'enfant. J'ai fait toutes les hosties de démarches, tous les tests, tous les diagrammes, je t'ai fourni ma semence comme un taureau et tu t'es fait engrosser par l'autre, ton médecin génial, pendant que tu me tenais la main et me regardais, moi. As-tu oublié combien tu me regardais? L'as-tu fait juste pour avoir un bébé? M'as-tu menti tant que ça? À ce point-là? Vas-tu oser penser que ce bébé arraché à l'impossible t'a été arraché par pure vengeance?

Si tu avais été une femme capable d'enfanter normalement, j'aurais peut-être eu droit à un chagrin normal et à des larmes laides mais soulageantes, dans des bras qui m'auraient tenu au lieu de me repousser comme un chiot gênant qui pue le pipi. C'est toi qui l'as faite anormalement, c'est toi qui l'as bâtie dysfonctionnelle. On ne pousse pas sur la nature impunément. On ne se moque pas du corps qui refuse d'aller au-delà d'une certaine limite. Je tuerais les femmes de soixante ans qui se font mettre enceintes artificiellement.

Je te tuerais d'avoir fait ça à Érica.

Je me tuerais d'avoir accepté.

Ce qu'il y a de bien, c'est qu'une toute petite nappe de vomi sur le tapis permet de partir sans autre explication qu'un dégoût compréhensible. Très pratique.

Laurent aurait été raide soûl mais pas malade et j'aurais été cruelle.

À quoi tient la paix de l'âme, quand même… une flaque de vomi. C'est sûr que, présenté comme ça, ça fait sordide. Mais je suis enfin libérée d'un regard d'apitoyé consentant qui guette l'écho de ses malheurs dans mes yeux. Les êtres supposément humains sont bien décadents.

La classe des impitoyables cœurs durs m'attire de plus en plus.

J'ai dû fréquenter trop d'humains. Ben de valeur pour eux autres !

Sa sœur veut savoir où elle est.

Radio-Canada envoie tous ses chèques ici, comme s'ils n'avaient pas le nom de son agent.

Rémi appelle régulièrement et je suis supposé lui faire une chronique de ses activités, alors qu'il faut que je lise *Échos Vedettes* pour savoir ce qu'elle fait.

Et je ne parle pas des inconnus qui laissent des messages très personnels.

Moi, ma mère m'appelle fidèlement.

J'ai rappelé Mme Cantin de peur de prendre un fusil et d'aller l'attendre à la sortie du théâtre.

Elle finit cette semaine… Après, je ne saurai plus où la trouver pour la tuer.

Elle serait ravie de reconnaître ici une trace de son fulgurant humour.

Lu dans une revue : « Dans les entrevues, les acteurs sont toujours fous de leur metteur en scène et les metteurs en scène fous de leurs acteurs. Vous en connaissez beaucoup de familles, vous, où on avoue ingénument qu'on se déteste ? »

Dernière de la pièce ce soir. Temps de passer à autre chose. Étienne est à chier. Il a le bonheur tellement cliché qu'il nous donne des envies de drames.

Ma tapette va m'entraîner dans un coin au party pour me redire combien il a adoré travailler avec moi et qu'il n'a jamais pensé un mot de ce que *j'ai* dit.

Et il va me laisser entendre que nos difficultés d'approche sont dues aux « circonstances » plutôt qu'à sa sale gueule d'ambitieux frénétique.

Fuck him ! Je vais probablement sourire. De toute façon, en ce qui le concerne, toute forme d'apprentissage, même grâce à la brutalité de certaines vérités, est désespérée.

Il a ce qu'il mérite : des anecdotes à raconter en entrevue.

La radio se termine dans huit jours. Départ dans quinze jours pour le film.

Est-ce que j'irai chercher ma poignée de bêtises avec mon linge d'été ?

Ou ai-je les moyens de me payer toute une nouvelle garde-robe ?

Retourné chez le notaire. Il y a une photo sur son bureau qui représente sa petite famille. J'ai été frappé par le visage du bébé : un gros poupon très joufflu, très détendu, qui n'avait pas l'air de poser alors que les trois autres, oui. Un bébé pas beau, les yeux un peu porcins perdus dans la face bouffie. L'âge d'Érica. J'en suis sûr, même s'il a l'air deux fois plus vieux qu'elle parce qu'il est costaud. Érica est — était — beaucoup plus délicate, toute fine, toute en subtilité. J'ai deviné l'âge du bébé. Le père, ravi, n'en revenait pas : personne ne lui avait encore attribué son âge. Il s'est mis à parler de son fils, des dents qui poussent, de tous ses progrès et de comment la petite négocie cet adversaire fraternel.

Il m'ennuyait prodigieusement. Comment peut-on se répandre comme ça, sans aucune pudeur ? Est-ce que je placote d'Érica avec le premier venu, moi ? Ni avec le second, d'ailleurs.

Vendre une maison au mois d'avril est complètement idiot. Les offres sont tellement basses que j'aurais l'impression d'avouer une défaite en les acceptant. Nathalie se fout de l'argent, mais je suis sûr qu'elle n'aimerait pas ce sentiment de capitulation.

Reçu les papiers du divorce via mon agent qui a cru un instant qu'on lui infligeait à elle une procédure pareille.

Quelle belle surprise. Laurent le râleur ne saura jamais le soulagement qu'il m'offre en me déchargeant de l'odieux d'ouvrir les hostilités.

Pour une fois qu'il prend les devants, on va en profiter.

Il faut qu'il soit bien démuni pour s'essayer à me faire réagir avec une arme aussi dangereuse. Il sous-estime de beaucoup mon exaspération conjugale. Faut dire qu'on peut difficilement se livrer avec autant d'abandon à l'apitoiement et au mélodrame sans perdre un œil lucide sur ce qui se passe en dehors de son petit soi-même. Si son but est de me retenir, la fièvre de l'auto-attendrissement l'exalte et lui fait perdre tout sens commun.

Qu'y s'arrange avec ses troubles. Tout ce que je demande, c'est d'éviter un « essai de réconciliation » qui risque de virer à la tentative de meurtre.

Qui vais-je appeler pour célébrer ?

Un divorce, au même titre qu'un mariage, se célèbre nécessairement au lit, mais évidemment pas avec la même personne.

C'était important pour moi que l'avocat soit une avocate. Qu'une femme entende et comprenne mes raisons, qu'elle défende mon point de vue devant Nathalie.

Que ce soit une femme qui lui explique pourquoi je ne peux plus être son mari, pourquoi et comment je me suis détaché d'elle et en quoi cette séparation est irrévocable. Je voulais parler d'Érica à une femme. Raconter cette nuit-là, mais aussi les autres. Raconter, dire enfin toutes les horreurs qui m'ont habité pendant les derniers mois. Et être pardonné.

C'est idiot. Je sais. Mais pourquoi ce serait plus estimable de payer une thérapeute qu'une avocate, pour des résultats identiques? Que la loi soit de mon côté, qu'elle se prononce en ma faveur, en accord avec mes réclamations, que la société confirme que j'ai le droit, le devoir de mettre fin à ma souffrance, tout cela, même si je la paie pour le faire, mon avocate va l'expliquer à Nathalie et au juge. Et le juge va dire que oui, ça suffit, j'ai assez payé comme ça, j'ai droit à la paix.

Qui maintenant pourrait parler pour Érica?

Pourquoi ai-je cet atroce sentiment que seule Nathalie le pourrait et que, sadique, elle me regarderait crever plutôt que de calmer mon angoisse.

L'avocate s'appelle Hélène. Elle est très douce, mais m'assure qu'elle peut tenir tête à toutes les Nathalie.

Et puis, d'un autre côté, je ne suis jamais sûr qu'un homme n'aurait pas été séduit par Nathalie. Je la connais, elle se le serait tapé pour le seul plaisir de me narguer. À mes frais avec ça!

Revu Rémi. Je suis restée dans le vestibule, main sur la poignée de la porte à le regarder se moquer de moi, sans rien dire. M'a parlé des tomates qu'il va faire pousser sur son balcon, cet été. Selon les événements, il pense faire du ketchup vert ou rouge. Il a même ajouté, pour s'assurer qu'on ne parlait pas cuisine mais calendrier morbide, que les paris sont ouverts sur la couleur du pot que je vais recevoir.

L'ai envoyé chier.

J'ai essayé de supporter son hostie de regard plein d'amour et de dignité et j'ai ouvert la porte avant les trois minutes auxquelles je m'étais obligée par considération pour nos treize ans d'amoureuse amitié.

Je suis revenue l'embrasser.

Il a dit qu'il appréciait beaucoup la précipitation que je mettais à le quitter : rien ne pouvait le rassurer davantage, sachant que, s'il était en danger de ne faire aucun ketchup, j'aurais pas le feu au cul de même.

Je lui ai quand même laissé mon numéro de téléphone top secret sur le tournage.

Du balcon, il a agité un vingt en criant : « Rouge ! »

Impair et passe.

O.K., O.K., je suis tombée le nez dedans. L'humour, ça s'aiguise pas au seven-up.

Elle est extraordinaire. Elle a une façon d'écouter. Une seule rencontre m'a fait plus de bien que mes trois mois avec Mme Cantin.

Hélène a eu une réaction bouleversante au récit de la mort d'Érica : elle s'est mise à pleurer. Elle m'a tourné le dos en marchant vers la fenêtre et elle pleurait en s'excusant. Elle s'excusait d'avoir une sensibilité à fleur de peau.

Ça a été plus fort que moi, je me suis précipité et je l'ai prise dans mes bras pour la consoler et la rassurer. C'est difficile à croire, mais tout ça était naturel, pas forcé ni gênant. Une sorte de moment de grâce parfaite où personne ne s'inquiète de la signification de ses gestes. Depuis si longtemps je rêvais de consoler quelqu'un. J'en étais venu à douter de ma capacité à faire autre chose que me désespérer.

Je ne suis pas fou, je sais bien qu'Hélène a pris pour moi l'attitude que j'aurais voulu voir chez ma femme. Mais même si c'est une illusion, la réaction humaine, sensible, m'a apporté un réconfort immense.

Je suis rentré moins seul chez moi. Et, dans le silence de la nuit, pour la première fois, quand des images trop pénibles me venaient, ce sont les épaules d'Hélène secouées de sanglots qui servaient de repoussoir aux idées noires.

Yves m'offre de jouer *Andromaque*— celle de Racine. Vraiment, y a rien pour lui faire peur, à celui-là. C'est pour janvier prochain. Ça veut dire des répétitions à Noël, ça veut dire que je ne pourrai pas sacrer mon camp dans le Sud. Ça veut dire que c'est pas l'offre du siècle, malgré que ce soit un personnage... sais pas. L'ennui, avec ce métier, c'est qu'il faut décider un an d'avance de l'envie qu'on aura ou pas. Présentement, ça fait loin et ça fait heavy. Mais c'est Yves et on a eu bien du plaisir à la télé et j'ai un projet pervers pour lui et ça me dit qu'il ne m'a pas offert Andromaque pour rien.

Y a quand même quelque chose qui résiste : je trouve qu'il aurait dû s'essayer à la comédie, il n'en a jamais mis en scène, ça le bousculerait, et moi, ça me plairait de jouer ça.

Andromaque au mois de janvier ! Tout pour écœurer un public. Ça pis le compte des cartes de crédit du temps des Fêtes. Franchement ! Il va y avoir une queue sur le pont.

Trouvé un avocat pour le divorce : beau grand jeune homme dévoué qui porte une alliance presque plus large que son annulaire. Chat échaudé... proclamons nos positions ! Le pauvre chou doit déjà avoir eu à essuyer quelques essais de retour à la vie de la divorcée éplorée. Qu'il se rassure en ce qui me concerne. Si son genre premier de classe n'avait pas déjà suffi, Calvin Klein, dans ses notes les plus tenaces, y aurait remédié.

Je l'ai embrassée! J'ai embrassé Hélène. Pourtant, j'avais passé la soirée à parler de Nathalie. C'était mi-travail, mi-loisirs. On a décidé de faire ça au restaurant. Elle portait un chandail beige et ça lui donnait une douceur magnifique. Elle comprend tout : mon amour pour Nathalie, son désir d'enfant que j'ai eu envie de combler, cette folie de vouloir la rendre heureuse à tout prix, d'être celui qui réaliserait cela et tous ses rêves. Ça peut avoir l'air cocasse, mais elle a tendu la main impulsivement et m'a dit : « Vous l'avez vraiment aimée, je sais bien. Mais pouviez-vous faire plus et aller plus loin sans qu'elle vous y autorise ? » On a longtemps parlé de Nathalie, de ses problèmes, de sa carrière qui l'éloignait de moi, la centrait sur elle-même. On a parlé de mes attentes à moi qu'on avait oubliées en cours de mariage. C'est la première fois que quelqu'un me dit que mes désirs sont aussi importants que ceux de ma femme et que, si je ne les considère pas, qui les respectera ?

Nathalie trouverait cela assez cliché merci, mais je crois que j'en ai assez de son humour dévastateur dont elle se sert pour repousser toute forme de conversation véritable.

En une seule soirée, Hélène m'a montré qu'autre chose que la dérision et le mépris peut nourrir une conversation.

C'est en sortant, parce qu'il faisait plus froid, que j'ai passé mon bras autour de ses épaules.

C'était un baiser très doux, très tendre.

Rien à voir avec la sauvagerie entreprenante de Nathalie.

C'est l'histoire d'une femme détective qui va toujours chercher la petite affaire plate qui concorde mal dans l'explication toute ben organisée de son partenaire qui a bien de l'expérience et qui, au lieu d'en profiter, aime mieux s'en vanter et la faire chier avec. Il l'écoute juste quand il se rend compte qu'elle a raison et qu'il va avoir l'air d'un beau cave si y arrête le bon comme y était parti pour le faire. En fait, c'est une sorte d'allégorie sur les rapports hommes-femmes. Il se vante, elle fait la job. Quand elle lui a montré le méchant, c'est elle qui court les preuves que *lui* présente au grand boss. Même structure pour les quatre épisodes. On change de région et de meurtrier chaque fois, et c'est la grosse différence. Ça a dû être financé en partie par l'Office du tourisme du Québec. Ben des beauty shots en vue.

C'est pas mauvais, c'est fidèle au genre, ça paye bien, c'est de l'« exposure » (dixit mon agent affamée de gloire) et je ne suis plus à Montréal à regarder Laurent bêler sur ses bonnes intentions. Qui en doute, d'ailleurs, à part lui ? Il est pétri, puant de bonnes intentions. S'il savait comme les vengeurs rancuniers ont la cote au cinéma. Jamais été très à la mode, Laurent. Trop risqué.

On commence à Rimouski parce que c'est supposé être l'automne avancé et qu'au mois de mai, c'est à peu près ça dans le coin. Ben du travail à faire avant de partir, incluant un workout intensif si je veux pouvoir courir après les méchants pendant que l'autre épais m'attend dans le char.

Nathalie a signé tous les papiers sans discuter. Hélène dit que son avocat est bon et plutôt réputé, mais que c'est un divorce simple étant donné l'absence d'enfants, qui constituent habituellement le problème.

Pour être précis, c'est l'absence d'enfant qui cause problème ici. Je me demande si on aurait divorcé si Érica n'était pas née. Je crois que non. On était heureux, on rigolait beaucoup. Quand je pense à la Nathalie d'avant, j'ai toujours envie de sourire ou de rire. Son humour, que je peux tellement détester parfois, était l'une des choses les plus séduisantes que j'aie vues. Elle était si surprenante, si différente de toutes les femmes que j'avais rencontrées. Un feu roulant. Elle se moquait sérieusement et, quand elle se mettait à critiquer, c'était craquant. Regarder une émission de télé avec elle était un bonheur — les émissions les plus cucul nous laissaient morts de rire. Et elle trouvait le tour de faire l'amour pendant les bouts les plus plates.

J'ai su qu'elle était amoureuse à sa façon de rire de moi. Et j'ai su que je l'étais à ma façon de ne pas m'en offusquer.

Je n'ai pas encore touché Hélène, je veux prendre mon temps, être sûr. Hélène est patiente. Très patiente. Toute une différence!

Yves a refusé mon refus. Il me donne jusqu'à la fin du tournage pour y penser. Je l'ai assuré que j'étais capable de réfléchir en faisant des bagages. Il a seulement fait non en répétant : « Penses-y. »

Ça sent l'arnaque à plein nez. Je lui ai demandé si c'était pour tester sa capacité de résister au désir qu'il me voulait tant. Il prétend aimer fréquenter le danger. Je serais, selon lui, un baril de poudre.

Je ne sais pas s'il se prend pour un briquet, mais il ne risque pas de survivre à ça, je ne serai pas toute seule à sauter.

Il s'est ensuite livré au sport national de la vérification des rumeurs : mon divorce (confirmé) et l'état de santé délabré de Rémi (infirmé).

Ce qu'il y a de merveilleux dans ce milieu, c'est leur propension à vous enterrer sans cérémonies dès qu'il y a apparence de diagnostic. Ils vont direct au drame, ils aiment bien goûter la moelle du mal. Il n'y en a pas beaucoup, alors ils se précipitent sur l'os pour le sucer en premier. Ils sont charmants.

Dois-je oublier Hector privé de funérailles
Et traîné sans honneurs autour de nos murailles ?

Perdre Troie n'était rien. Maintenant, on traîne le corps vivant des condamnés pour faire peur aux bien-baisants avec les mœurs des prétendus dépravés. Gang de dégueulasses. Y pourraient au moins essuyer le gras sur leur menton avant de se désoler pour ces pauvres invertis.

Quelquefois, on prenait Érica avec nous pour une « heure d'adoration ». On l'installait au milieu du lit et on la déshabillait pour détailler chaque centimètre de sa peau. Elle avait deux grains de beauté, un sur l'épaule gauche, exactement au même endroit que celui de sa mère, et un autre au-dessus de la fossette de fesse droite, bien en place sur le rein, juste avant le petit dodu fessu. Elle se réveillait et s'étirait voluptueusement en grimaçant. Elle n'avait jamais peur d'être repoussante, elle faisait des gueules incroyables : renfrognée, plissée, elle se payait toutes ses faces lettes avant d'ouvrir les yeux et de nous dévisager avec un calme olympien qui faisait pas pitié à voir.

C'est quand elle tétait qu'elle était la plus belle, la rondeur de sa joue, celle du sein et ses yeux levés vers ceux de Nathalie, ses yeux éperdus d'amour pour la merveille qui la nourrissait avec tant de générosité ; sa main étreignait le doigt de Nathalie et elle frottait ses pieds l'un contre l'autre pour témoigner de la perfection de la sensation.

Voir Érica sucer goulument le sein de sa mère
Voir Nathalie contempler son petit ange
Est-ce que ça a existé vraiment ?

Soixante-cinq jours, soixante-cinq jours… qui pourrait me dire, m'expliquer pourquoi c'est arrivé. Pourquoi une petite fille si heureuse de téter ne s'est pas remise à respirer après une apnée. Sa mémoire était donc si courte ?

Quelquefois, je retiens mon souffle le plus longtemps possible pour voir si ça fait mal.
Ça fait mal.

Mon partenaire enquêteur est joué par un acteur très fort doublé d'un pince-sans-rire délicieux. Ils sont allés le chercher en France. Il frise la soixantaine, porte encore très beau et se mêle de ses affaires. Un délice après tous les téteux que j'ai croisés cette année.

Rien à prouver, c'est le genre de pro qui ne se sent pas obligé de nous faire subir ses affres de la création. Sa seule vanité est de supplier le directeur photo de soigner l'angle pour dissimuler une calvitie naissante en forme de tonsure qu'il est le seul à remarquer.

Je lui ai parlé d'une petite greffe. Il a soupiré que c'était exactement ce qu'il voulait cacher.

Avec lui, la difficulté c'est de travailler. Il est très efficace côté divertissement et, côté professionnel, il oublie toujours son arme.

Tournage relax, ambiance légère et petites ivresses permises : que demander de mieux ?

Quelque chose doit menacer, c'est comme rien.

Le jour de sa naissance, je m'étais dit qu'elle aurait six mois quand j'aurais mes trente-six ans. Ça me semblait un cadeau de fête anticipé; à son anniversaire, on marquerait ma demie, au mien, la sienne. Je ne peux m'empêcher de penser à Nathalie, de me demander si elle a eu une pensée pour mes trente-six ans, si j'existe encore. Elle avait l'art de faire de somptueuses fêtes intimes. Peut-être a-t-elle pensé aux six mois alors?

Encore le comptable qui revient me hanter.

Hélène a tenu à célébrer, elle s'est donné un mal fou pour tout faire « maison ».

Je me suis un peu soûlé.

Elle en a profité pour m'inviter à rester.

Je suis resté et il ne s'est rien passé. Rien.

Le comptable en moi sait très bien que ça fait pourtant presque quatre mois que j'ai pas baisé.

Mais rien.

Est-ce que tout le monde se paye un « location fuck » ? Difficile de résister quand on n'est plus chez soi et qu'on nous parque tous ensemble dans un voisinage obligatoire. Difficile de ne pas ouvrir l'œil sur les possibilités de galipettes en dehors du sentier battu quand on se fréquente quotidiennement et que les loisirs sont encore affaire de gang. Ensemble pour travailler, ensemble pour s'amuser, faut seulement savoir choisir parce qu'en cas d'erreur, on l'a dans face assez souvent, merci.

Je considère le jeu avec attention avant de bouger. Michel, notre « importé-pas-achalant » serait plutôt porté sur la jeune femme, mais il ne semble pas pressé, lui non plus. En vrai Français, pour lui, séduire a l'air de constituer une bonne partie de la montée du plaisir.

Le réalisateur couche déjà avec la script, ce qui est un duo classique. Le directeur photo m'a l'air embrayé sur la fille qui joue la victime. Il va être obligé de se dépêcher, parce qu'elle meurt dans une semaine.

Qu'est-ce qu'on a d'intéressant à se mettre sous la dent… l'accessoiriste, l'assistant régisseur (mais il court tout le temps, on ne peut pas finir une phrase sans que son walkie se mette à grésiller) et le perchiste. Rien de plus joli à regarder que ses belles grandes pattes, qu'il écarte légèrement pour tenir la longue perche du micro avec stabilité. Comme il a l'art de choisir ses jeans et qu'il est fixe, on peut perdre pas mal de temps à s'imaginer de quoi ça a l'air quand il bouge…

Y a bien deux, trois acteurs baisables, mais ça, c'est dans le chapitre « hommes-mariés-porteurs-de-détecteurs-de-mensonges-et-avoueurs-professionnels ».

C'est pas que ça me dérange, mais l'amour à trois, moi…

« C'est pas grave, je comprends » et elle s'est blottie dans mes bras. C'est fou, j'ai pas pu m'empêcher de revoir le regard moqueur de Nathalie. Je ne suis pas sûr que ce soit le genre de commentaire qui me fasse plaisir. Et puis, qu'est-ce qu'elle comprend? Si c'est que je suis atteint d'impuissance chronique, moi, je trouverais ça grave.

C'est fou à dire, mais je préfère le sarcasme et une autre tactique que le repli immédiat.

En caressant les cheveux d'Hélène, je songeais aux yeux de Nathalie quand elle attaquait. Pas tellement le genre à se blottir, Nathalie… les draps n'étaient jamais bien tirés après l'amour… et elle n'aurait jamais supporté que le désir s'effouère de même. Jamais arrivé d'ailleurs. Le sexe était toujours très excitant avec elle, même quand j'étais soûl, même en danger d'être surpris. Même enceinte, alors qu'elle faisait attention à tout comme si le moindre choc pouvait être dangereux, elle a mis au point son « répertoire de la baise sans baise » avec une constance d'invention qui ferait rougir Hélène la douce.

Hélène aux timides caresses inefficaces. Des caresses comme des points d'interrogation. Les gens qui demandent la permission nous forcent à réfléchir à l'heure où on a envie de perdre la tête.

Je ne pouvais pas dormir. J'ai embrassé Hélène et je suis parti sans bruit.

Dans le silence de la maison, je suis quand même allé voir si Nathalie dormait, comme un obstiné.

J'étais bandé ben dur.

Il y a une petite belette qui vient d'arriver sur le tournage. Sept ans, toutes ses dents, une petite face à la Adjani, version vivante, un teint mat, des yeux qui vont faire damner toute une équipe dans pas longtemps ; bref, une pas reposante. Rachel voit tout, questionne tout et circule partout.

Elle joue ma voisine, sorte de Watson revisité qui pose les questions naïves qui finissent par me faire allumer.

Elle m'a prise en otage, ou plutôt, elle a pris mon chalet d'assaut. Dire en affection serait prématuré. Le modèle Rachel vient assorti d'une mère aussi classique et morne que sa fille est originale et imprévisible. L'ancienne splendeur du théâtre amateur est là pour veiller sur sa fille et la faire répéter (c'est-à-dire se prendre pour une artiste authentique qui, par osmose, transfuse du talent à sa fille et qui veut à tout prix être remarquée pour un petit rôle, « éventuellement davantage », la bonne dame étant mère célibataire). La petite futée a vite compris qu'elle avait intérêt à s'éloigner des conseils artistiques de maman et elle n'épargne pas sa peine. L'assistant réalisateur est en train de virer fou à force de la chercher avant chaque prise.

Rachel partage ses faveurs entre Michel et moi, mais elle et moi sommes en compétition directe en ce qui concerne le perchiste : elle me murmure des cochonneries à son égard dont je ne suis pas sûre qu'elle comprenne le sens. Le petit œil interrogateur qui suit ses tentatives les plus osées me confirme qu'elle cabotine un peu. Elle aime bien avoir l'air délurée. La candeur, sexuelle ou non, lui semble une tare impardonnable. Elle parle tout le temps et elle a commencé à m'imiter. Après deux répétitions, elle sait toutes mes répliques et les dit tout bas en même temps que moi et sur le même ton.

Après une scène où je jouais la terreur, elle s'est précipitée sur moi et m'a prise par les hanches (elle est bien petite encore) en silence, terrifiée de m'avoir crue, toute tremblante. Une rage folle m'a saisie : où était sa tarte de mère payée pour la surveiller ?

Avec le perchiste, évidemment.

On a une nouvelle stagiaire pour l'été, au bureau, le genre que Nathalie qualifierait de « chick de course ». Vingt-quatre ans, des jambes interminables et beaucoup de bonne volonté. Pourquoi je l'ai invitée à prendre une bière et qu'ensuite je suis allé chez elle, j'en sais rien.

Mais c'était évidemment fantastique. Mon seul malaise est d'avoir l'impression que Nathalie m'approuverait mais rigolerait aussi beaucoup de me voir faire. Caroline a une légèreté bien semblable à la sienne. Et puis elle a cette énergie sexuelle qui suscite beaucoup d'action et peu de questions.

Je suis rentré chez moi à quatre heures du matin et je n'ai pas eu à visiter le bureau de Nathalie pour me rappeler qu'elle n'était plus là. Pour la première fois depuis très longtemps, j'ai dormi d'une traite et profondément, deuxième jouissance de la journée.

La question est de savoir si j'ai trompé Hélène, puisque nous n'avons pas encore eu de relations sexuelles… Je n'ai pas envie de le lui dire, je n'ai pas envie de la blesser et je l'aime trop pour la quitter. Mais je revois Caroline demain.

Rachel a voulu coucher chez moi, dans mon chalet et sans sa mère. Très rusée, elle s'est réclamée du scénario où ma voisine vient, comme ça, passer la nuit.

Elle est arrivée les dents brossées (c'est elle qui l'a spécifié), l'ourson magané dans les bras et vêtue de la plus jolie jaquette de coton que j'aie vue.

Elle a mis sa mère à la porte et a visité ma garde-robe et mes tiroirs de fond en comble en posant mille questions impertinentes. Elle n'a jamais voulu aller se coucher dans la chambre d'amis. Elle s'est endormie « en discutant » sur le sofa du salon.

En me penchant pour la porter dans son lit, une violente douleur m'a traversé le ventre. J'en suis restée suffoquée.

J'ai passé une partie de la nuit en compagnie des toilettes, une couverture sur le dos. Pas dormi, le corps tordu de douleurs et de nausées.

J'avais même pas bu.

Bon, O.K., un ginger-ale.

Rachel s'est réveillée à sept heures, top shape.

Tout est si calme, si rassurant avec Hélène. Jamais je n'ai connu quelqu'un qui me protège autant de tout ce qui m'inquiète, qui m'aide à faire le point, qui me permet de m'exprimer. Le seul ennui, c'est le désir si totalement absent. Une tendresse folle me prend, mais aucun désir.

Elle m'a demandé timidement si c'était bien avec Nathalie, si j'avais des ratés. Et j'ai vu qu'elle avait peur. Alors, j'ai menti, j'ai dit qu'au début, c'était assez fou, mais que, quand elle était enceinte, on n'avait plus eu la même sexualité. Ce qui n'est pas tout à fait un mensonge, mais « plus la même » signifiait « encore meilleure ».

On est allés se promener longtemps sur la montagne. En décembre, l'an passé, j'avais marché sur les mêmes sentiers avec Érica toute collée contre mon ventre dans son snuggly. Ma vengeance de père frustré de ne pas être enceinte, disait Nathalie. Érica dormait à poings fermés. Elle s'est réveillée dans la voiture et Nathalie a dû laisser le volant tellement Érica s'enrageait de faim. Jessye Norman chantait l'*Ave Maria* de Schubert, une petite neige saupoudrait le crépuscule de magie, des arbres de Noël s'allumaient. Je n'ai pas repris la route tout de suite, j'ai contemplé Nathalie et le bonheur m'a fait éclater en sanglots. Elle a posé une main très douce sur mes yeux, une main qui savait, et elle a murmuré qu'elle m'aimait. Ça fait cent ans, je pense.

Je suis rentré chez moi, malgré les protestations d'Hélène. Je voulais être seul : nous sommes le 17, ça fait cinq mois aujourd'hui. Je voudrais appeler Nathalie.

Ils ont fait venir le médecin, pas encore le prêtre. Impossible d'ingurgiter quoi que ce soit. Le seul fait d'écrire « manger » me donne des crampes.

Tout le monde est pas mal énervé : il reste trois jours de tournage à Rimouski et je suis prévue sur les trois. Alors, ça piétine et ça panique. Pas pour ma petite santé, pour le prix que ça coûte d'immobiliser un tournage.

Le producteur est arrivé en catastrophe. Il me tapote la main et ses yeux me font des signes de piastres de détresse.

J'ai dormi une bonne partie de la journée. Ce soir, Michel est venu me faire un thé et « croquer le toast » avec moi. Très calme, très gentleman, il n'a rien dit en me voyant incapable de manger. Il a seulement murmuré : « Et c'est arrivé comment, ce virus ? »

En m'embrassant avant de partir, il m'a dit : « J'aurais pourtant juré que vous étiez le genre à ne vomir que le mensonge. »

Je n'ai pas ri.

Je suis furieuse.

Je me suis fait chauffer du bouillon et je l'ai avalé.

Les Français peuvent être tellement choquants ! C'est probablement l'accent qui rend l'affaire prétentieuse — pour pas dire baveuse. L'art de se faire aimer.

On est le 17, on devait finir le 20. Ça sera le 21 pis c'est tout. On se passera du traditionnel party de fin de tournage, c'est tout.

Dîner avec maman. Un vrai dîner au restaurant et tout pour me faire pardonner de ne pas l'avoir laissée célébrer mon anniversaire.

Pour me faire pardonner le divorce aussi. Ma pauvre mère ne le prend pas : elle adore Nathalie. D'abord, elle la faisait rire et ensuite, c'est une vedette qui passe à la télé. Maman trouve qu'on est allés pas mal vite en affaire. Un drame comme le nôtre devrait interdire toute décision de fond pour un an. Là-dessus, elle est intraitable : le divorce ne va rien arranger.

Inutile d'expliquer que Nathalie et moi n'avions plus de liens, plus de relations, plus de conversation, ma mère m'a sorti toutes les statistiques concernant les couples qui ont perdu un enfant, et c'est normal qu'il y ait des difficultés majeures. Je n'ai pas pris mon talent de comptable dans la poubelle. Seulement, ma mère veut que nous figurions dans les maigres vingt pour cent qui résistent au choc.

Maman s'est offusquée que je n'aie aucunes nouvelles de Nathalie. C'est elle qui m'a appris qu'elle avait dix jours de congé entre chacun de ses tournages et que celui de Rimouski s'achevait en retard parce qu'elle avait été malade.

Rien ne me choque plus que cet air satisfait qu'elle prend pour me prouver que, quand on aime vraiment, on se tient informé.

J'ai pas trente personnes qui m'appellent chaque jour pour me faire un compte-rendu précis de tous les journaux à potins, moi.

En rentrant au bureau, j'ai vu que c'était dans le journal avec une magnifique photo de Nathalie.

On a triché pour la dernière poursuite, mais on l'a canée. Une prise de plus et je me vomissais les orteils ! Enfin, on va pouvoir sacrer notre camp. La campagne, finalement, j'aime ça douze heures, le temps de me rappeler que c'est plate.

Tout le monde est tellement gentil et attentionné que ça me rend paranoïaque : je dois être mortellement atteinte si y sont si coulants. Je les aime mieux dégueu, c'est plus tonique.

Y a quand même quelqu'un qui a pris la peine d'alerter les journaux. J'ai eu Rémi au téléphone qui voulait savoir si je faisais un concours de skinny bone avec lui. Ça sentait le ketchup vert à plein nez.

Il m'a promis de venir me surveiller sur le tournage à Québec et de me faire manger à la petite cuillère.

Il a conclu en me prévenant que les rumeurs allaient bon train à propos d'une liaison très fatale entre nous.

Je déteste quand il réussit à être plus cynique que moi.

J'ai appelé toutes nos connaissances communes pour avoir des nouvelles de Nathalie. Des vraies, pas des potins. Personne ne sait rien à part Rémi qui m'a semblé très inquiet : il n'arrêtait pas de faire des farces. Il n'a jamais voulu me donner son numéro de téléphone. Il prétendait que je ne pourrais rien faire sinon empirer les choses.

Comme si je ne le savais pas. J'ai jamais pu rien faire pour Nathalie depuis six mois. Sa façon de rejeter l'aide est tellement insultante ! Je ne connais personne qui me fasse prendre mon trou de même.

J'ai besoin de la voir, de savoir qu'elle va guérir. Ça me rend fou, l'idée qu'elle peut être vraiment très malade.

Party de fin de tournage très enlevé. L'habilleuse a fait toutes mes valises pendant que je ramassais trois feuilles de papier et un trombone. Grande forme. Mon chalet est devenu un confessionnal. Chacun s'est amené pour me faire ses confidences et m'assurer que j'irais mieux très vite. Pour l'instant, c'est assez comique : je suis à la tisane légère et ils arrivent de plus en plus soûls ou gelés.

Rachel est pitoyable, elle a pleuré toute la journée et ne veut pas s'en aller. Sa mère est venue me faire ses remerciements pour ma patience avec sa fille en me tendant un des nombreux dessins que Rachel a noircis dans sa période sombre : une splendeur de rage bleue et noire où les personnages ont tous la bouche grande ouverte. Rachel est arrivée sur ces entrefaites (elle avait refusé de me dire au revoir, trop fâchée), elle a bousculé sa mère et a déchiré le dessin en petits morceaux en hurlant que c'était pas pour moi et que sa mère était trop niaiseuse pour comprendre. J'étais bien d'accord. Sa mère a claqué la porte comme l'enfant de cinq ans qu'elle est et Rachel m'a regardée, l'œil noir et vengeur : « T'es *pas* malade ! »

J'ai compris qu'elle avait eu vraiment peur à la façon dont elle s'est jetée sur moi pour m'assaillir de coups en hurlant que j'étais pas malade.

J'imagine la tête du premier gars qui va essayer de la quitter.

Je n'ai pas rappelé Hélène de la semaine. Caroline s'épuise en sourires et en sous-entendus. Rien à faire. Il faut que je voie Nathalie.

J'ai assiégé son agent et je ne lâche pas Rémi. Personne ne veut me dire où elle est. L'agent m'assure qu'elle va bien. Je ne la crois pas. Elle dit qu'elle lui a fait le message de me rappeler. Je suis sûr que c'est faux.

Je ne dors plus. Tous mes progrès des dernières semaines se sont envolés. J'ai tellement peur, je n'arrête pas de m'inventer des scénarios horribles.

Je suis retourné dans notre chambre fouiller les tiroirs pour retrouver quelque chose d'elle. J'ai déniché la jaquette qu'elle portait la nuit de la mort d'Érica. Elle était au fond d'un sac de plastique, au fond d'un tiroir vide.

Elle qui avait toujours couché nue. Ma belle actrice avec ses seins pleins d'amour liquide. Ma sexy en flanellette qui ouvrait sa jaquette en disant : « Open bar, Érica, c'est moi qui paye. »

Elle qui a tant vomi les premiers mois.

Est-ce qu'elle pourrait être enceinte ?

Il faut que je la voie.

Je me gave de suppléments alors que j'arrive même pas à ingérer la base. Ils ont rien trouvé. Ils ne trouveront rien. M'ont ploguée sur le soluté boosté, mes fans ont allumé des lampions et mon agent se chicane avec les médecins pour que j'aie un pronostic A+ pour les assurances du tournage qui menacent fort de faire monter dramatiquement mon indice de risque pour les prochains épisodes.

J'ai dit au médecin que, si je restais plus de trois heures à l'hôpital, il aurait une partie de mes viscères à ses pieds.

Il m'a crue et il a bien fait.

Je tourne en rond. Je ne supporte pas cette inactivité. Et je ne supporte pas de travailler.

Rémi m'a avertie que je ne supporterais probablement pas non plus de constater les bienfaits majeurs de l'AZT sur sa personne et que, donc, il ne se montrerait pas.

Il compte ses plaquettes, je compte mes protéines. On maigrit tous les deux, mais on s'en fait seulement pour l'autre.

L'agent immobilier ne pouvait pas venir.

Ils ont visité la maison accompagnés du père de la fille, qui connaît les structures. Ils étaient enchantés et s'exclamaient continuellement.

Quand ils ont vu l'ensemble « chambre des parents-salle de bains-chambre du petit », ils en dansaient presque. Tout était parfait.

Elle était enceinte de presque huit mois. En tout cas, proche du terme. J'ai appelé l'agent pour lui dire de refuser leur offre à n'importe quel prix. Il y a eu assez d'un carnage dans cette maison.

Hélène m'a appelé. Elle a su que Nathalie était malade par les journaux, comme tout le monde d'ailleurs, moi inclus. Elle m'a dit de prendre mon temps, qu'elle comprenait mon inquiétude et qu'elle était là si j'en avais envie.

Je lui ai demandé si elle ne se fatiguait pas de comprendre tout le temps quelqu'un qui ne lui donnait jamais rien. Je lui ai demandé quand elle m'enverrait chier au lieu de me deviner et de me pardonner avant même que j'ouvre la bouche. Je lui ai demandé où était sa barre, son plancher, son seuil d'intolérance et, pour être totalement odieux, je lui ai dit que si j'avais épousé une femme comme Nathalie, c'était sûrement pas parce que j'estimais les carpettes.

La souffrance rend sadique : j'aurais aussi pu rompre doucement.

Quelquefois, après avoir vomi, ça sent le lait suri. C'est cela que je cherche. L'odeur de lait suri.

À quoi sert de tant courir pour échapper au vide que je vomis pour atteindre cette odeur bénie du temps où la vie était pleine. On vit de vide. On n'en meurt pas.

Je me fous de mourir c'est les autres que je ne peux pas voir mourir.

Rendez-moi mon plein. mon bébé. mon bébé. crisse, y a pas de pitié par ici. je veux crever mais si ça réussit à sentir le lait sûri c'est signe qu'y a de l'espoir. j'attends mon bébé qu'une gang d'écœurants ont rendu tout mou — j'attends mon ange. Mon bébé ange. Je me rends malade pour une odeur de bébé parti.

L'autre chose, c'est la sensation de gorge arrachée. comme si j'avais crié
crié pour me détruire les cordes vocales
les détruire avant de hurler ton nom
        de hurler pour rien jusqu'au matin.
        et de tomber raide morte parce que tu ne viendras pas

        maintenant que je le sais, je vais peut-être enfin arrêter.

L'agent immobilier m'a fait une scène terrible, menace de se retirer du dossier. Je lui ai dit de se sentir à l'aise. Même les frais dont il me menace ne m'impressionnent pas.

J'ai appelé un ami journaliste pour le supplier d'apprendre où est Nathalie. Il m'a dit que, si son agent faisait bien sa job, il ne le saurait pas.

Bravo, Nathalie, ton agent fait bien sa job.

Je lis les journaux et les magazines à potins comme un malade. Je fais des pressions déshonorantes sur Rémi, bref, je suis devenu invivable et obsédé.

Puis, j'ai eu l'idée de génie : son avocat ! Son avocat a l'adresse, j'en suis sûr.

C'est quand même incroyable les ruses qu'il me faut déployer pour pouvoir parler à ma femme.

On s'est assis face à face comme des rescapés d'Auschwitz. J'ai contemplé le merveilleux avancement de la science moderne sur son visage décharné. On était beaux à voir, y a pas à dire.

Il m'a avertie que, comme il ne savait pas écrire, il serait obligé de le dire et que le souffle était pas son principal allié de ce temps-là.

Rémi va probablement mourir en me mettant en garde contre un des aspects répugnants de la chambre ou du cadre. Pour le plaisir de varier le point de vue. Parce que c'est un visuel.

Il avait beaucoup réfléchi, Rémi. En substance, ça donnait ça : « Je t'aime parce que t'es une fighteuse, une courageuse qui sait pas abandonner même quand tu te trompes de fight. Je sais que je ne meurs pas au bon moment pour toi. Que c'est même assez mal timé en ce qui te concerne. Mais je meurs pareil. Ça fait réfléchir. Pas à la mort, comme tant de gens pensent, mais à la vie. Celle qu'on a eue, celle qu'on peut encore avoir et aux moyens qu'on se donne ou non. Je suis d'accord pour ne pas m'empiler sur tes autres cadavres, mais faut que tu fasses du ménage parce que c'est moi qui vas t'enterrer. On va se mettre d'accord sur une affaire : je ne meurs pas tant que t'as pas réglé la mort de ta fille. Mais essaye pas de m'étirer en te trompant de fight encore ben longtemps ! As-tu compris, Nathalie ? »

Je suis allée m'asseoir près de lui.
Ça faisait très longtemps qu'on ne s'était pas vus.

Je suis plus obsédé par Nathalie aujourd'hui que pendant toutes nos années ensemble. Et pourtant, je laissais pas ma place, côté obsession. Jamais aucune femme ne m'a autant exalté. Quand je l'ai rencontrée, elle partait en tournée pour six semaines. J'ai tellement pensé à elle pendant ce temps-là que je n'ai aucun souvenir de ce que j'ai fait pendant cette période. J'étais dans le bus avec elle, en coulisses avec elle, je me suis inventé le trac à huit heures vingt, je me couchais tard en pensant qu'elle faisait pareil — si ma pensée était avec elle, je flottais, heureux. Dès qu'on exigeait que je me concentre, je résistais comme un lunatique dérangé dans sa rêverie.

On se parlait tous les jours. Je ne comprends pas que Bell Canada n'ait pas envoyé de cadeau de noces, qu'elle disait. Une fortune pour l'entendre respirer au bout de la ligne.

Je vendrais toute ma business pour l'entendre respirer encore une fois.

La seule chose qui me rassure, c'est que, si elle va plus mal, les journaux vont le dire.

Trois jours sans vomir. Une fatigue qui m'assomme dès que je m'immobilise. Si je prends l'ascenseur, je tombe endormie avant d'arriver à l'étage.

Comme je n'ai pas la force de monter les escaliers, je ne sors pas. J'essaie d'apprendre mon texte et je m'endors dessus. J'ai le cerveau comme une livre de cretons. Parlant livres, j'en ai perdu douze. — La peau me pend sur le support : y vont sortir les épingles à couches pour faire tenir mes jupes. Le créateur des costumes va demander un ajustement de cachet.

Rémi me téléphone des recettes hyper-énergétiques. Il va mieux. L'échelle des plaquettes et autres globules remonte. À croire que c'est moi qui le rongeais. Qu'il essaie, voir, de dire qu'il n'est pas fou de moi.

« Quelle chance que j'aie jamais réussi à te baiser » qu'il dit — comme s'il était le seul au monde à trimbaler son petit virus pourri ! Comme si baiser était notre affaire ! Comme si des filles comme moi étaient pas l'incarnation même de la pas baisable ! Mon petit fifi préféré veut peut-être l'adresse de la Madame chien Cantin ?

Mais je pense pas qu'elle fasse dans le remonte-pente pour condamnés.

N'empêche... soyons honnête : même nouille, elle a fourni le truc du journal. Et ça, veut, veut pas, faut ben admettre que ça marche.

Elle m'a laissé un message. Sur ma boîte vocale, au bureau, à peu près en pleine nuit. Y a pas à dire, elle ne veut pas me parler.

Elle va mieux, me demande d'arrêter de harceler ses amis comme un hystérique et de m'occuper de mes fesses. Elle veut rien savoir de moi et, si elle change d'idée, elle va trouver mon numéro de téléphone, au Japon si y faut.

J'ai écouté le message trente fois : on ne sait jamais avec Nathalie, c'est une bonne actrice. Quand elle a recouché avec Yves, six mois après notre mariage — six mois, calvaire ! j'ai failli la tuer ! —, ça a tout pris pour déjouer ses ruses de Sioux. C'est lui d'ailleurs, l'imbécile, qui m'a donné mes armes. En plus, tout le monde disait qu'on se ressemblait comme des frères. Jamais trouvé. C'est un bellâtre prétentieux qui parle tout le temps. Le genre de gars qui te prend toutes les couvertures la nuit.

Nathalie adorait quand j'étais jaloux, c'est le seul moment où mon humour devenait un peu grinçant. Méchant serait plus juste. Mais Nathalie gagne cet Oscar-là chaque année.

Dieu qu'elle me manque ! Qu'est-ce que je donnerais pour lui apporter le café au lit.

La fille qui joue mon assistante a été bien déçue de me voir si en forme. Je pense qu'elle espérait une promotion. Elle avait dû réécrire le scénario assez vite : une balle perdue, bonsoir, à elle de relever *mes* défis. Ça y rajoutait pas mal de lignes et soixante jours de tournage. J'ai vu son œil de lynx faire l'inventaire de sa déception quand elle m'a vue. Ça s'est fini par deux becs secs et un « Tu vas mieux, on dirait ? » funèbre. C'est fou la fraternité et l'esprit d'équipe qu'on trouve dans ce beau métier ! Merci de t'inquiéter, Mylène, pis garde espoir : la prochaine fois, je promets d'en crever.

On m'a remis quelques séquences légèrement modifiées — ce qui veut dire que ce qu'on a appris par cœur, on l'a fait pour des prunes, vu qu'ils ont eu une meilleure idée et qu'on est tellement intelligents, nous les acteurs : on apprend un texte par osmose, juste à le fixer dix minutes et il pénètre le derme. Sur le lot, il y avait douze séquences que je savais déjà : va falloir me trouver un répétiteur. Laurent avait un vrai don pour ce genre de chose : patient, ferme et tyrannique sur l'exactitude.

Je vais demander au perchiste, tiens.

La nuit, je pouvais me réveiller seulement pour regarder Nathalie dormir. Même endormie, elle avait une énergie folle. Je la contemplais et je la désirais. Je me serrais contre elle et la caressais jusqu'à ce qu'elle murmure : « Je te dérange pas, toujours ? » Elle avait une façon d'appeler l'amour en tendant son corps vers moi, en coulant entre mes mains. Son odeur chaude me rendait fou. Combien de fois lui ai-je fait l'amour comme ça, avant l'aurore, alors qu'elle avait peine à s'extirper du sommeil ? Le bonheur de l'aube avec Nathalie qui se rendort, encore toute liée à moi et qui refuse de me laisser me lever : « Tu voulais venir ? Reste maintenant. »

Elle se rendormait sitôt sa menace émise et je regardais le soleil se lever sur sa joue. Quand Érica est arrivée, quand je la regardais boire dans la lumière rosée de l'aurore, Nathalie murmurait souvent : « On rêve pas, là, c'est vrai. Ça existe et c'est à nous ce bonheur-là. »

Je vais demander à ma mère de me rendre les photos de ma star aux aurores nourrissant le vampire lactaire, parce que je ne suis plus certain de ne pas avoir rêvé.

Rémi a débarqué dans ma suite avec armes et bagages et belle humeur. Il a dit être venu pour m'espionner, me donner la réplique, me bercer, m'empêcher de m'envoyer en l'air trop vite. Longtemps que je ne l'ai pas vu dans une forme aussi pétante. Longtemps que je ne l'ai pas eu avec moi, point.

C'est à son sourire quand j'arrive que je mesure le prix d'un certain éloignement. C'est quand même rare des amis qui ne viennent pas te mourir dans face quand t'es occupée à te désoler pour autre chose.

Il ne m'accompagne jamais sur le plateau. Il connaît tout ce monde-là, il leur a donné toutes les bonnes idées que son génie de la structure et des formes ne cesse de fournir, mais il ne désire ni come-back ni relents du bon vieux temps.

Rémi est dans le bon vieux maudit présent — avatars compris.

C'est pas le genre de gars qui divise les factures.

Il ne garde pas les reçus non plus.

Rêvé à un bébé qui geint quelque part. Oppression terrible. Je cherche mollement, comme si c'était pas urgent, en ayant le cœur fou et l'angoisse de ne pas le trouver. Mais mon corps, comme une grosse chiffe molle, bouge à peine. Réveillée en terreur et en sueur avec la vague impression d'une montée de lait.

Comme c'est agréable, le subconscient qui vient vous voler une assurance si cher payée. Madame Cantin se délecterait. Tu peux ben courir, grosses babines, tu l'auras pas, mon cauchemar !

Long cinq à sept avec Caroline qui en avait gros sur le cœur. Elle ne mâche pas ses mots, celle-là! Insultée, humiliée, elle m'a expliqué de long en large l'effet de l'élastique qui te pète sur la gueule. J'avais rien à répondre, alors je l'ai laissée parler jusqu'à ce qu'elle s'épuise d'elle-même, comme le dernier petit lapin des piles Duracell.

C'est arrivé à la quatrième bière. Elle a souri et s'est inquiétée de savoir si elle avait pris des airs d'épouse outragée qui exige des comptes. Je l'ai assurée que je ne connaissais pas ce genre d'épouse.

Son pied s'est mis à danser contre ma cheville. Joli pied. J'ai eu envie d'elle très brutalement. Je l'ai dit sans aucun scrupule. On est partis chez elle.

Pourquoi est-ce que cette fille ne me fait éprouver aucune culpabilité? Parce que je m'en fous? Parce que je suis au-delà de ce sentiment qui me ronge pourtant avec Érica et Nathalie? Parce que je réserve ma sacro-sainte mauvaise conscience à Nathalie, mon inappétence à Hélène et mon désir à Caroline? Il ne faut pas croire que celle-ci a le meilleur de moi-même. Pour un gars élevé catho, la culpabilité est quand même respectable, n'est-ce pas, Nathalie?

Comme disent les ados, nous avons baisé comme des bêtes pendant deux jours.

Sans vouloir être rustre, le plaisir, c'est quand même tonique.

J'ignorais que Michel souffrait d'insomnie. En me livrant à mes errances nocturnes, dans les ailes non hantées du Château Frontenac, je l'ai rencontré. Je l'ai menacé de répandre une rumeur sur ses mœurs dépravées. Ça l'a fait sourire.

Peu à peu, c'est devenu une habitude : nous nous rencontrons dans un arrondi de fenêtres donnant sur le fleuve et nous nous taisons ensemble. Moi en leggings et T-shirt, lui en robe de chambre luisante de baron fin-de-siècle.

Je ne sais plus quelle nuit c'était. Nous regardions l'aurore, le ciel pesait de tout son sombre sur cette fameuse barre du jour claire qui gagnerait, bien sûr. Michel s'est mis à parler, sourdement, sans me regarder. Il racontait à l'aube l'histoire de son fils. La police l'a trouvé mort, affalé contre le volant de sa voiture dans un parking de l'aéroport de Toulouse. Overdose. Il sortait d'une cure. Il avait vingt-six ans, une paresse égale à un talent fou pour le dessin. Il avait tout fait : de la prison, du vol, du recel, un enfant qu'il avait abandonné, de la prostitution et quelques bons coups pour bien montrer qu'il choisissait de se comporter comme ça. Drogué dès douze ans, il avait consacré sa vie à une seule chose : sa destruction qui prouverait que la terre entière — incluant son père tant haï — avait mal agi envers lui. Lors de son dernier voyage entre les deux tournages, Michel est allé prendre soin de son ex-femme, la mère de Philippe, une alcoolique non réformée. Il a appris par le rapport d'autopsie que son fils avait été placé dans la voiture après sa mort. Il était mort étendu sur le flanc et non pas assis. Ils le savent parce que le sang s'était figé sur un seul côté du corps. On présume qu'on l'avait ensuite assis dans cette voiture et conduit jusqu'au stationnement.

Michel se demandait si les gens qui étaient avec Philippe auraient pu le sauver en le voyant faire une overdose. S'ils n'avaient pas bougé parce qu'ils avaient peur ou parce qu'ils étaient trop partis. Combien de temps ça prend, mourir d'une overdose de coke ?

Le genre de questions qui vrillent la nuit jusqu'à l'aube.

Hélène m'a écrit une très longue lettre. Elle m'aime et elle est très malheureuse. Elle m'offre ce qu'elle a, elle… je ne sais pas pourquoi sa lettre ne me touche pas. Je dois avoir une pierre à la place du cœur. Elle qui a écouté toutes mes déroutes de l'hiver passé, je n'arrive pas à lire les deux pages où elle me raconte ses déboires amoureux. Comme pendant un film trop lent, je pense à autre chose en lisant. Quand même le comble de l'ingratitude. J'ai mis la lettre de côté en me promettant non seulement de la finir, mais d'y répondre.

Je vais m'occuper du buisson de roses sauvages planté par Nathalie et que les pucerons trouvent de leur goût. Il ne faudrait pas qu'elle voie ça. Il fait un temps superbe. Je sais que le tournage à Québec va très bien. Nathalie a toujours planté des tas de trucs qu'il me revient d'entretenir. Ça donne un jardin magnifique, mais je trouve encore que la part du créateur est plus légère que celle du conservateur. Faudrait inverser les rôles pour une saison.

Pourquoi ai-je cette certitude de la ravoir dans ma vie un jour?

Parce qu'il fait si beau et qu'il y a un an, sa petite bedaine même pas poussée, elle avait utilisé son immense temps libre à redessiner tout ce jardin que j'arrose aujourd'hui avec délectation? Parce que le silence a été remplacé par tous les petits bruits amis des nuits d'été?

Ça brasse sur le plateau. Deux, trois petites rivalités, un acteur aigri, une simili-vedette et ça suffit pour vous gâter une ambiance. La salle de maquillage est à veille d'exploser tellement les ondes y sont électriques. Va faire chaud dans pas longtemps. Je me sens très étrangère à leur bisbille de gros plans. Si y en a un qui s'avise de me faire des crasses, y va se rendre compte qu'on opère assez vite de mon côté.

On tourne de plus en plus tôt. Je soupçonne le premier assistant d'exiger des modifications de tournage et de reprendre les horaires en fonction d'un découpage précis : celui de l'énergie guerrière des protagonistes qui se trouve au plus bas aux aurores. Dont acte.

Les soirées sont légères et animées — je me réfugie chez mes deux mémères qui se sont liées d'amitié et qui s'échangent leurs recettes de brownies. Rémi et Michel font pas mal vieux couple de fifs. En plus, ils sont enragés de scrabble. Ils ont bien essayé de m'entraîner sur la pente du vice, mais je résiste sauvagement. Rien ne m'écœure plus que les longs silences de construction laborieuse du « mot compte triple » avec le W et le Y.

Je préfère le tricot, tiens.

Non, pas le tricot.

Qu'est-ce qu'elles ont toutes à se pâmer sur moi? À croire que j'ai une soudaine aura de séducteur.

Caroline, qui était une si bonne partenaire de plaisir pur et dur, s'est mise à balbutier des « je t'aime » mouillés qui me font débander. Pas sa faute, elle est jeune. Moi aussi, j'ai longtemps confondu l'extase et l'amour. C'est parce que les deux mots commencent par une voyelle.

Hélène aussi, que j'ai finalement appelée après avoir séché une semaine sur un brouillon de lettre plate.

Hélène, la vaillante, qui joue l'amie fidèle, organise un barbecue dans sa cour pour Jules-Philippe, Simone et moi. Hélène qui ne parle plus des vacances mais me scrute quand je fais semblant de lire le journal.

Elles me font sentir goujat. La grosse brute qui profite de l'amour inconditionnel des femmes.

Faudrait trouver le courage de clore ces deux fausses pistes.

Nathalie, qui m'a toujours trouvé horriblement romantique, serait sidérée de constater mes progrès de macho.

Elle disait rarement « je t'aime » — ça puait le texte de théâtre, qu'elle trouvait —, mais quand elle le disait, la terre tremblait.

Y a Yves qui est passé sur le plateau. Il était venu voir un acteur jouer dans un théâtre d'été à Québec et, bien sûr, me parler d'*Andromaque.*

Un instant, sans mes lunettes, de loin parmi les autres, j'ai cru que c'était Laurent.

J'ai le cœur qui s'est mis à pomper.

Nausées.

Panique instantanée.

Merci, monsieur Freud. Sans façon.

Caroline a pleuré, Hélène a doucement hoché la tête et je l'ai vue se retenir à deux mains de dire : « Je comprends. »

J'ai dormi dans le jardin, sous les étoiles. J'ai parlé à Érica, je lui ai expliqué les pléiades, les engoulevents, toutes les choses qu'elle ne connaîtra jamais.

On avait pensé louer une maison à la mer cet été. Érica aurait mangé des poignées de sable et nous, du homard.

Si je fermais la porte de la chambre d'Érica, je pourrais probablement dormir dans notre lit, à Nathalie et moi. Avec elle.

Elle me manque. Ce tournage est si long. Comme un ado, j'embrasse sa photo tous les soirs. Combien d'hommes font ça au Québec, avec le poster de ma femme ?

Comme l'ambiance du plateau n'en finit pas de se détériorer et que nous dormons fort peu, Michel et moi, nous nous allongeons à l'ombre entre les prises de vue. Quand le changement d'éclairage est compliqué, on réussit à s'assoupir.

Ça, c'est quand les vipères ne sifflent pas trop sur nos têtes. Nous avons le bonheur d'être pris en charge par une régisseure exemplaire qui a l'art de nous trouver des chaises longues, de l'ombre et du calme.

Ça fait bien sûr plaisir à tout le monde.

La journée pénible s'achevait. Il restait quatre plans et, vidée, je m'étais presque endormie quand Patrick, notre premier assistant réalisateur, est venu réclamer ses acteurs pour les retouches maquillage. Voyant que je dormais, il a demandé à Mylène d'y aller en premier pour me laisser encore dix minutes.

J'ai entendu sa jolie voix revêche qui avait bercé mon somme de tout le fiel possible grincer : « Quand est-ce que vous allez arrêter de la traiter comme une porcelaine ? Ça fait six mois qu'y est mort, son bébé. »

Je n'ai pas bougé, je n'ai même pas ouvert les yeux pour dire : « Cinq ! Décrisse, ma tabarnak, parce que la porcelaine va te sauter dans face. »

J'ai pas pris la peine de regarder sa tête. J'ai attendu que ma main cesse de trembler sous la main de Michel qui a seulement murmuré : « Quatre plans, Nathalie. Quatre. »

L'assistante de la détective, l'assistante jouée par la jolie Mylène, a eu affaire à se grouiller le cul.

J'ai rêvé que je faisais l'amour avec Nathalie. Un délice d'harmonie, de passion. Ses bras autour de mon corps, le plaisir qui montait. Je me suis réveillé en sursaut, tout coupable. Impossible de rester dans ce lit. Je suis redescendu comme un enfant puni pour la millième fois d'avoir encore sucé son pouce.

Je sais qu'il va falloir vendre cette maison. Mais le jardin est si beau et Nathalie y tient tant.

C'est fou, mais j'ai peur de perdre encore quelque chose si je la vends. L'impression que je ne pourrais pas le supporter. C'est faux, on supporte le pire et on peut toujours en prendre, ça a l'air.

Il faudrait que j'agisse, mais j'aimerais avoir l'opinion de Nathalie avant.

Encore faux. Je veux seulement que Nathalie revienne. Puisqu'elle vit, elle, pourquoi ne reviendrait-elle pas?

Ce n'est pas comme si on ne s'était pas aimés.

Ce n'est pas comme si on s'était fait du mal.

C'est un peu comme si on avait mal agi, mais même cela, ce n'est pas vrai, c'est une impression.

On a déjà perdu un bébé, est-ce qu'il faut vraiment tout jeter et se perdre aussi? Aller au bout de l'abandon?

On n'a vraiment pas le tour de se consoler.

On pourrait apprendre, non?

Je suis sûr que Nathalie a peur qu'Érica nous manque encore plus si on est un en face de l'autre.

Je ne savais pas que je jouais si gros en acceptant de faire cet enfant.

Érica, ma petite puce grimaceuse qui m'a tatoué le cœur, je ne le regrette pas, tu m'entends?

Jerry, le réalisateur, a voulu manger avec moi après les rushes. Très nerveux, Jerry, très. Pourtant, on est dans les temps, cette fois-ci. Il n'arrêtait pas de se gratter la gorge. Je sais qu'il gardait ça pour le dessert, mais je lui ai dit que s'il s'inquiétait vraiment de ma santé, il pouvait être rassuré, mais que s'il s'inquiétait de celle de Mylène, il avait peut-être raison de s'en faire. Là, il me sort que justement, Mylène, que le producteur, que les auteurs, que, que... Ça m'a pris un gros cinq minutes avant d'allumer : Mylène couche avec le producteur et lui fait un compte-rendu détaillé et pessimiste de ma santé physique et mentale qui inquiète beaucoup la bourse du monsieur. Pas celles-là, l'autre, enfin, je me comprends.

Tout ce beau monde se ronge pour ma santé, c'est tout.

Et puis Jerry se gratte la gorge encore un peu... tout baigne dans le scénario, sauf la relation de la chef détective avec l'assistante. Ben oui. Ben sûr. On va faire travailler les auteurs pour les deux prochains épisodes, as-tu une idée, ma petite Nathalie ? Dépêche, Mylène en a, elle.

C'est au dessert que j'ai suggéré à Jerry de faire revenir Rachel sur les deux autres épisodes. Elle allégeait merveilleusement le tournage et elle pourrait prendre sur elle tous les indices que l'assistante ne veut pas me donner. Et, tant qu'à réécrire, pourquoi ne pas dramatiser le rapport de compétition entre les deux femmes, le rendre plus aigu et plus criant ? Rien de tel pour en faire des séquences juteuses d'agressivité collée dans les gencives. Et puis Michel serait pogné dans un arbitrage pas piqué des vers.

Tout le monde est content : Mylène devient un élément du drame et elle gagne cinq jours de motel avec le producteur.

Jerry est parti tout léger, tout ravi, en murmurant des « je t'adore » et des « je t'ai toujours trouvée fantastique » bien inquiétants...

Je vais revoir Rachel.

Québec est une bien petite ville, je n'ai eu aucune difficulté à trouver le tournage. Ils étaient au Bois de Coulonges. C'était les trois derniers jours.

Beaucoup de monde, beaucoup d'agitation. Dès que j'ai su où aller, j'ai été m'installer au Château Frontenac. Je ferais un bon détective, j'ai vite appris à quel étage il faut traîner pour obtenir un autographe.

Maintenant que j'y suis, que toutes mes phrases sont prêtes, je n'arrive pas à me persuader que c'est une bonne idée. J'ai envie de tout remballer et de partir.

Passé la journée sur le traversier de Lévis à hésiter.

Je pourrais pousser une pointe jusqu'à La Malbaie, aussi.

Rémi ne décolère pas. Comme s'il ne savait pas de quelle fibre cardiaque ce milieu était tissé ! Ça s'appelle le câble d'acier. Michel et moi, les vieux pros à la couenne dure, on ne s'en fait pas pour si peu. De toute façon, y a un auteur qui est venu demander un avis à Michel en présentant *mes* idées comme étant un éblouissement personnel qu'il avait eu en l'admirant dans le premier épisode. « L'obscénité de la vanité humaine sur un plateau de cinéma », c'est le titre de notre thèse commune, à Michel et à moi. Mais Rémi ne rit pas. Il perd beaucoup d'énergie à s'enrager et à fulminer.

Je dors sur la switch ben raide : il s'enrage et il fulmine *parce* qu'il perd de l'énergie !

crisse !

Je n'ai trouvé aucun courage : ni de me décider, ni d'écrire un mot, ni d'envoyer des fleurs, ni de partir. Un épais qui fait du surplace.

Je suis allé manger en ville et j'ai marché dans la nuit chaude.

Je ne voulais que circuler dans le corridor de son étage et essayer de deviner derrière quelle porte elle dormait.

Elle était là, dans le petit salon tout au bout, dans l'enclave des fenêtres en rond.

Elle était de trois quarts dos, les jambes repliées contre ses seins, les bras fermés autour, le menton sur les genoux ; elle avait l'air d'une très jeune fille.

C'est l'acteur français qui joue avec elle qui m'a vu. Il a vite détourné les yeux et s'est levé.

En passant près d'elle, il l'a embrassée sur la joue et je l'ai vu venir vers moi.

J'étais certain qu'il savait qui j'étais.

Nathalie est restée là, à fixer le fleuve et la nuit qui faiblissait.

Je me suis approché doucement.

Est-ce qu'il ne sait pas qu'il a les mêmes yeux?
Ce bleu profond, cette forme, les mêmes exactement?
Est-ce qu'il ne sait pas que je priais pour qu'elle garde cette couleur tant elle me bouleverse?
Est-ce qu'il ne sait pas que, bien repue, bien gavée, sa fille prenait ce même air gourmé d'avoir effectivement frappé le jack-pot?
Est-ce qu'il fait semblant de ne pas savoir que la naissance du nez est la même? Fine, droite, sublime?
Comment peut-il, comment peut-il oser présenter devant moi sa beauté inquiète si semblable à la sienne?

Il y avait deux anges dans cette vie, le bébé ange et l'ange amoureux,
deux anges merveilleux.
Les larmes que je n'ai jamais cherchées sont tombées sur sa main.

Pourquoi fait-il cela? Il reste deux jours à tenir, deux jours à faire croire à la bitch qui me joue l'assistante que les anges ne me manquent jamais.

J'aurais voulu demander pardon à chaque parcelle de sa peau.

Je l'ai fait.

J'aurais voulu m'enfouir en elle et condamner à jamais l'oubli.

Je l'ai fait.

Étrange extase que celle de la douleur qui crève en reconnaissant sa pareille.

On ne roupille plus sur le plateau, Michel et moi. C'est fou, l'envie nous en a passé.

J'ai regardé Michel se taper onze prises d'un plan-séquence compliqué. Ça a dû l'épuiser parce qu'il s'est mis à me parler de son ex. Il racontait qu'ironiquement sa femme alcoolo lui avait mis la responsabilité du problème de drogue de leur fils sur les épaules. Le plus étrange, c'est qu'il a marché. À fond la caisse, comme il dit. Parce que, si c'est pas de notre faute, c'est signe qu'on est impuissant. Ce qui serait pire, finalement. Il a raconté qu'il a perdu beaucoup de temps à chercher des qui et des pourquoi pour trouver une seule réponse : Philippe était mort d'une overdose dans la face de faux amis qui l'avaient abandonné. Tuer les faux amis ne ferait pas de lui un vrai père. Tuer son ex-femme ne ferait pas de lui un vrai père. Se tuer ne ferait pas de lui un vrai père.

Il était un mauvais père qui avait perdu un mauvais fils, ou un père qui avait perdu un fils ; peu importe, le résultat était le même.

C'était faux, et nous le savions. Overdose veut dire coupable. De la même façon que Rémi ne peut détacher sa mort de sa sexualité, Michel ne peut différencier l'envie de néant de son fils du néant de sa présence paternelle.

La rhétorique change les pions de place, mais pas la game : échec et mat.

Je me demande comment il a deviné que Laurent était le père de ma fille.

J'ai été voir Rémi avant de partir. Il était au lit. Mauvaise journée, trop chaud. Nous avons parlé du jardin, de ce qu'il faut faire aux rosiers cet automne, de ses tomates de balcon. Des tomates, il a enchaîné sur Nathalie. Il s'en fait beaucoup pour elle.

Je lui ai dit qu'elle m'avait demandé de partir. Il s'est inquiété : « Poliment ? » Je l'ai assuré que c'était le plus poli que j'aie entendu de sa part à ce jour.

Il m'a demandé s'il pouvait m'appeler avant de crever, « pour Nathalie, tu comprends ? ».

J'ai compris.

Je suis rentré bouleversé : il a trente-sept ans, il lui reste peut-être un ou deux ans et c'est le meilleur ami de Nathalie. Depuis presque toujours. Pourquoi Nathalie me ferait-elle de la place dans toute cette tragédie grecque ?

Pour haïr le messager de mauvaises nouvelles.

Cette fois-ci, c'est moi qui ai fait les valises de Rémi. Lui, il s'est contenté d'allers-retours aux toilettes. En plus, cette maladie a des manifestations disgracieuses. Quand on connaît le raffinement naturel de Rémi, on peut se demander ce qu'il trouve le plus pénible.

Michel part demain pour mettre ses insomnies sur le compte du jet-lag.

Nous avons tous une mine superbe. Trois boxeurs épuisés par un match nul.

Chose certaine, les petites poudres illicites ont perdu beaucoup de charme à mes yeux. Faut dire que Mylène s'y adonne généreusement et que l'idée de partager sa paille ou même d'être sous l'effet de la même substance que cette conne ne m'exalte pas vraiment. J'ai intérêt à conserver certaines inhibitions si je ne veux pas être le sujet vécu de la prochaine enquête.

Y a Laurent qui a dérangé une autre inhibition que j'avais pourtant difficilement gagnée.

Je crois que je vais aller parler avec le perchiste ce soir, au party.

Évidemment que je l'attends. Les heures sont tellement creuses, tellement lentes. Elle est arrivée en ville hier. Ma mère m'a appelé pour me l'annoncer. Je lui laisse le temps de faire son lavage. Je suis tellement distrait que Jules-Philippe m'a demandé ce qui se passait, si j'avais des problèmes avec Hélène. Je l'ai regardé sans comprendre : Hélène ? Ça m'a pris un certain temps avant de faire le lien et de le mettre à jour.

Il m'a demandé ce qui me prenait alors. J'ai dit que j'étais très amoureux. La surprise sur sa face !

C'est pourtant strictement la vérité.

Les retours à Montréal sont comme des retours en arrière, pénibles. Y a Rémi qui est à l'hôpital pour son changement d'huile, comme il dit. Il fait tellement chaud que les fleurs que je lui ai apportées ont eu le temps de mollir entre le fleuriste et la chambre 454 de l'aile C. Il faut que je l'aime pour aller là. Il le sait et il fait semblant que je suis héroïque. Je l'ai même vu tenter de se sacrifier en me recommandant de sauter ce bout-là du scénario. Je lui ai demandé s'il voulait absolument m'enlever tout mon mérite, alors que je m'approchais de l'abnégation dévouée.

L'hôpital doit être aussi gai pour lui que ça l'est pour moi. Et puis, dans le sien, la pouponnière est dans un autre bâtiment. Extrêmement délicats qu'ils sont, ici : il y a l'aile-naissance, l'aile-récupération et l'aile-des-mourants ou des morts. Ils appellent ça le palliatif. C'est nouveau, ça fait moins peur aux proches, y paraît. Pour les mourants, pas de différence. Anyway, y ont beau essayer de tout mettre en ordre, ça arrive qu'il y ait des croisements indésirables entre les ailes.

La peur des mères à l'hôpital, c'est que les infirmières se trompent et leur apportent le bébé d'une autre. Pas qu'une aile de l'hôpital se trompe et visite la pouponnière. On n'a jamais peur de la bonne affaire. Mon bâtiment palliatif, moi, il avait une coquette adresse de banlieue et un jardin couvert de neige.

Oui, je l'ai, son adresse, et j'ai son numéro de téléphone, mais je veux que ce soit elle qui m'appelle. Je la connais, si je le fais, elle va commencer à trouver que j'exagère et qu'elle aime mieux m'envoyer chier. Si j'ai une chance, c'est en la laissant tranquille et en attendant qu'elle vienne voir pourquoi je ne bouge pas.

Érica, ma puce, aide-moi. Aide-moi à rattraper ta maman. Pars pas avec tout, ma puce.

C'est rendu que je vais aux toilettes avec le téléphone sans fil ! Le genre de chose qui la ferait mourir de rire.

Rémi sort demain. Ses tomates lui manquent beaucoup. Il lutte présentement contre un gros microbe pour lequel il n'a jamais développé de défenses : son ex, qui se trouve à être une petite frappe qui s'est vendu le cul à tout ce qui passait, incluant des femmes (pour dire jusqu'où il était prêt à descendre pour un peu d'abjection), et qui jamais n'a eu un malaise depuis qu'il est positif. Un miracle aux yeux de la science. Il défie toutes les statistiques. Je prétends que même les bactéries en ont peur. Il est tellement maso que la première nausée va le faire venir.

O.K., je l'haïs. Mais c'était comme ça avant qu'on sache ce que l'Hostie d'Infection Verrat voulait dire. Avant qu'y naisse, je pense.

J'ai menacé de faire paraître un avertissement dans tous les journaux du samedi, avec sa photo pleine page : *Ne baisez pas ce salaud!* Non, mais est-ce que la mort qui se promène en jeans serrés est légale juste parce qu'il a un beau cul ? Arrêtez-le quelqu'un !

Anyway, il est en forme pour une séance d'apitoiement et il voulait se faire laver l'âme par son père spirituel. Je suis sûre que Rémi va le revoir. Je ne comprends pas son indulgence idiote. Il m'a froidement spécifié que lui n'en voulait pas à un fumier tandis que, moi, j'en voulais à un gars correct.

Et paf! dans mon œil, la poutre.

Elle m'a donné rendez-vous chez son agent à qui elle avait promis d'arroser le jardin en son absence. Elle avait peur. Je l'ai vu à la faiblesse de ses sarcasmes. J'avais apporté du Sancerre. Elle ne voulait pas parler. On aurait dit qu'elle testait l'effet de ma présence sur son chagrin. Détresse serait le vrai mot, mais elle le récuserait.

On a vidé la bouteille en silence dans le jardin, sur une chaise longue, elle couchée entre mes bras, à fixer le ciel.

La bouteille était presque finie quand elle a tendu la main vers mon visage et qu'elle l'a caressé doucement.

J'avais l'impression qu'après avoir couru des milles et des milles, désespéré de jamais trouver un abri, je touchais enfin au but.

Ses mains. Le seul véritable abri au monde. Ses mains.

La foire aux vanités reprend, mais cette fois, les organisateurs futés ont pris soin de séparer les forces en présence. La production a loué des maisons parce que juillet, aux Îles-de-la-Madeleine, c'est le seul mois où il y a foule. Comme ils n'ont pas réussi à vider en entier un seul village sur l'île du Havre Aubert, une partie du personnel est à la baie de Plaisance et l'autre à L'Anse-à-la-Cabane.

Je partage une coquette maison avec Michel, sur le Chemin d'en Haut, face à un infini qui remet le monde en perspective. Ceci au cas où ça me prendrait d'oublier l'ordre des choses.

J'ai laissé la chambre avec le grand lit à Michel, en prétendant que je voulais revivre mes années d'enfance dans un des lits jumeaux de la chambre bleue. De toute façon, la vue est belle des deux côtés, et je lui ai fait comprendre que sa vertu serait compromise si jamais Rémi venait nous rejoindre et couchait dans l'autre lit de jeune fille. Et puis, si jamais Mylène rompt avec son producteur, elle va avoir besoin d'un repli et je m'empresserai de lui offrir le lit! Près de moi comme ça, elle pourra dormir en paix. Et rêver…

La maison est vendue. En trois jours. Des gens pressés. Va falloir tout vider et trouver un appartement pour le 15 juillet. Ma mère offre son aide immédiate (elle y prend goût, on dirait, à vider les places) et sa maison pour ensuite. Je vais refuser les deux.

Ce qui me plaît le plus dans cette vente, c'est de pouvoir appeler Nathalie, histoire de lui en parler.

Histoire d'entendre sa voix, d'apprendre comment elle est installée, histoire de la savoir vivante et décidée à ne céder sur rien devant les petites mesquineries du métier.

Cette belle intransigeance, quand on la regarde du dehors, quelle force, quand même.

Le soleil se couchait sur la plage — je l'ai écoutée me décrire les moindres nuances, assis dans le salon presque vide de la maison où pas un souffle d'air ne bougeait. J'ai eu un frisson.

Comme d'habitude, on a commencé par la fin. Équipe réduite, beaucoup d'ambiance. La promiscuité des tournages excite au début et dégoûte ben raide, à la fin seulement si l'équipe est douée, et dès la mi-temps s'il y a des taches à marde comme Mylène. Mais soyons honnête, Mylène n'est pas la seule représentante de la race maudite.

J'ai profité du nombre restreint et plutôt sympathique des débuts pour faire ma smart et organiser le premier festin de homards. On célébrait les cinquante-neuf ans de Michel. Homards du jour, champagne, Sancerre et short cake aux fraises maison. Une voisine est venue me donner un coup de main. Michel ne comprend pas un mot de l'accent des Îles. Il sourit poliment et hoche la tête sans savoir si on lui parle de chat ou de cul.

Rémi a appelé à minuit pour hurler son «Bonne fête, Michel!». Très déçu de ne pas y être, Rémi. Son karma est parti et il voulait se vanter d'avoir tenu bon au chantage à la réforme (ça coûte dans les cinq mille dollars chaque fois, la réforme du petit, en fait ça coûte aussi cher de remplir un nez que de le désemplir!). Pas naïve, je lui ai quand même demandé quelle aide il avait consentie et sous quelle forme. Le joli silence que j'ai discerné au milieu du vacarme ambiant m'a donné une approximation. Détroussé de cinq cents dollars et d'un système de son «dont il ne se servait vraiment plus et que de toute façon il avait acheté pour lui à l'époque», Rémi se trouvait très fort. On peut estimer que la tornade n'a effectivement pas fait trop de dégâts cette fois.

Combien de dope pour le prix d'un système de son?

On s'est payé la traite: le coucher et le lever du soleil. Joli lendemain qui ne chantait plus du tout.

Michel ne se levait pas. Inquiète, j'ai fini par frapper à sa porte. Il a ouvert doucement et m'a fait signe de me taire en montrant le sommet d'une tête bouclée enfouie dans son lit.

Finalement, il les a bien célébrés, ses cinquante-neuf ans.

Je devais être pas mal «ébréchée» comme disait ma tante en parlant des effets de la «volga jus d'orange», parce que je ne l'ai pas vue passer, cette petite frisée-là.

Je crois que je n'habiterai plus aucune banlieue de ma vie. Je le jure. Le bruit des tondeuses du samedi matin ne me manquera pas tant.

Bien sûr, je cherche en ville et près de chez elle. J'essaie de me contrôler et de ne pas obtenir une vue sur sa cuisine.

L'idée de la voir prendre un café en compagnie d'un autre homme me rend fou. Le seul que j'aie jamais supporté, c'est Rémi. Et encore : je ne comprenais pas bien pourquoi elle devait aller dormir chez lui quand son chum faisait des fugues.

Il y a des soirs où, pour briser le silence, je dormirais contre le souffle laborieux de Rémi.

Il y a cette femme qui, tous les soirs, vient marcher sur la plage en contrebas et regarder le couchant. Elle est seule. Elle va lentement. Elle a l'air triste. Ou mélancolique. Elle porte un grand chandail d'homme rouge sombre pour se protéger de l'inévitable vent des Îles.

Elle est enceinte de sept ou huit mois.

Je ne comprends pas pourquoi elle n'a pas l'air heureuse.

Où est-il, lui?

Chaque fois, le poème de Baudelaire me revient.

Et mes pieds s'endormaient dans tes mains fraternelles.

Ça doit être le spleen du couchant.

Ou celui de cette femme seule.

Ou…

il y a un truc : on ferme les yeux et on respire profondément.

Ça arrive que le tord-dedans se tasse —

Ça arrive qu'on éclate quand même en sanglots.

je suis très forte à ce jeu.

J'en ai assez de jeter, jeter et jeter. De faire des boîtes de choses intouchables qui me remuent pour des jours. J'ai en assez de faire les sales jobs. J'ai enterré Érica tout seul et maintenant je mets les livres sur l'allaitement et les premiers mois de votre enfant dans des sacs verts en grognant.

Je pourrais engager quelqu'un pour le faire. Je pourrais laisser ma mère le faire. Je pourrais exiger de Nathalie qu'elle le fasse, mais ça ne réglerait rien.

Il y a des moments où une telle colère m'habite que je pourrais débâtir la maison à coups de poing.

Habituellement, je m'arrange pour faire ma crise pour une fausse raison plausible. La dernière étant une attaque en règle contre les chauffards ivres à qui on laisse leur permis parce que leur voiture est leur gagne-pain. Le chauffard ivre avait heurté un enfant de six ans le jour où on avait retiré les roulettes de soutien de sa bicyclette. Le genre de choses qui me fait carburer pour un mois.

Je ne sais pas quel journaliste avait écrit ça, mais le coup des roulettes, chapeau! Le détail qui vous achève. J'ai écrit quinze « lettres ouvertes » aux journaux sans arriver à me défouler.

J'ai sacré là mes sacs verts et « l'enterrement — prise 30 » de mes souvenirs conjugaux et je suis allé m'asseoir dans une salle climatisée voir un film.

L'actrice était moins bonne que Nathalie.

Debout sur une falaise de terre rouge, je faisais ma Scarlett O'Hara contemplant Tara, pendant que le traversier s'éloignait. J'étais supposée éprouver une certaine inquiétude, mais comme c'était un plan large et que le soleil baissait, je me contentais de voir que la femme enceinte était toujours à son poste au loin.

Quand le dernier « Coupez ! » a retenti, une furie a déboulé sur moi en criant mon nom. Rachel, bronzée comme une squaw, l'œil humide de bonheur, m'étreignait convulsivement. Cette enfant a tout pour souffrir dans la vie.

En dix minutes, elle a réussi à me raconter la fin de son école, ses résultats, son plan de carrière et le mariage prochain de sa mère. Elle a dit textuellement : « Elle restera pas. Elle va se marier pis aller en profiter. » Le visage de sa mère ! On aurait dit que Rachel lui révélait ses complots secrets. J'ai appris qu'on était voisines, mais que, si je m'ennuyais, elle viendrait dormir chez moi. De toute façon, le matin, la voiture vient nous chercher ensemble. Alors, n'est-ce pas ?

Elle appelle Michel « mon pote » en hurlant de rire. Un vrai paquet de nerfs ! Elle a l'air de beaucoup inquiéter sa mère, qui la suit en s'excusant à tour de bras pour les bêtises que la « surexcitation du voyage » provoque.

Quelque chose me dit que les effets du voyage vont perdurer.

Rémi est encore à l'hôpital. Le temps humide et chaud lui cause des difficultés respiratoires. Il ne veut pas que Nathalie le sache. On joue au backgammon et il gagne tout le temps. Il m'assure que c'est pour me donner de la chance en amour.

Il me parle de son père avec un regret infini, lui si pudique. Il parle d'un homme lâche et taciturne aux puissantes mains de travailleur, qui ne nourrissait qu'une passion : la pêche à la mouche. Il fabriquait lui-même ses appâts et Rémi regardait les plumes de couleurs devenir des mouches délicates sous les gestes minutieux. Si Rémi se taisait, son père l'autorisait à le regarder faire. Il n'a jamais eu l'honneur de l'accompagner à la pêche. C'était son frère aîné qui y allait. Lui, il restait avec les femmes qui papotaient en buvant de la rootbeer. Rémi attendait patiemment que son père revienne pour ouvrir le coffre de pêche et remplacer scrupuleusement les mouches manquantes. Il ne se trompait jamais. Un jour, en faisant un faux mouvement de lancer, son frère s'est accroché l'hameçon dans la joue. Son père a eu si peur qu'après avoir retiré l'hameçon, ils sont rentrés. Il était dix heures du matin. Il est mort sur le chemin de halage, mort de peur, dit Rémi. Il n'a jamais pu sentir son frère.

Le coffre de pêche est resté intact depuis ce jour : Rémi n'a jamais remplacé la mouche manquante, celle qui est restée dans la joue et dans le cœur.

Mourir pour une mouche…

« Mon père n'aurait jamais compris que j'aime les hommes… moi non plus d'ailleurs, j'ai jamais compris. »

Il a une de ces façons de me dérouter, Rémi.

C'est l'épisode où mon personnage tombe en amour. Enfin, elle a une liaison qui la trouble assez pour qu'elle mélange ses pinceaux et s'embrouille dans son analyse judiciaire.

L'équipe au grand complet est réunie dans son habituelle harmonie. Je fais bien attention pour ne pas exciter les humeurs déjà assez acerbes, merci. Je crois que les amours de Mylène ont des ratés et, si mon œil est bon, ils sont à porter au crédit d'une petite nouvelle qui a tant travaillé à la version actuelle du scénario. Ils ont dû travailler tard, le producteur et elle. Pauvre Mylène, comme elle va filer porcelaine. Tiens, je vais lui offrir une chaise longue.

L'acteur qui joue mon amant est, dieu merci, très courtois. Rachel le trouve très beau. Elle n'arrête pas de glousser quand il est là. Elle vient sur mes genoux après les prises et me demande — en hurlant son secret dans mon oreille — s'il embrasse bien. Il faut l'éloigner du plateau parce qu'elle n'arrive pas à retenir ses soupirs pendant nos scènes. L'autre jour, elle lui a carrément demandé s'il me trouvait belle. Raphaël a eu l'air très étonné quand elle l'a assuré que je le trouvais très, très, très beau.

Elle me fait des clins d'œil d'entremetteuse chaque fois qu'il arrive et elle se charge de nous réunir aux heures des repas. Ça doit être elle qui a organisé le mariage de sa mère.

Par chance, nos scènes d'amour plus corsées sont des extérieurs nuit. J'aime autant ne pas avoir à entendre les commentaires salaces que cela susciterait.

La mère de Rachel nous délivre de tous ses talents demain.

Nous ne parlons jamais de Nathalie, Rémi et moi. Maintenant qu'il est de retour chez lui, je continue mes visites quotidiennes. Habituellement, on dîne ensemble, c'est l'heure de la journée où il est le plus en forme, et son appartement est voisin de mon bureau. J'apporte les courses qu'il me demande timidement de faire pour lui, on mange et je le regarde gagner au backgammon. On rit beaucoup. Son esprit caustique me rappelle celui de Nathalie.

Il m'a offert d'avoir une liaison temporaire avec lui si je n'arrivais pas à me trouver un appartement pour le 15 du mois. « Nous pourrions célébrer notre idole commune. » D'où tient-il que Nathalie me préoccupe encore ? L'ai-je écrit sur le front ? Peut-être ma solitude qui lui donne l'impression que je suis resté accroché ?

Comme je ne répondais rien, il a ajouté : « Hé ! C'est ma façon aimable de ne pas avoir l'air de tenir à ce que tu reviennes régulièrement. »

Ça, Nathalie l'aurait jamais dit.

Rencontré Raphaël (mon soupirant du scénario et futur époux, selon Rachel) sur la plage, à l'aube. Ça m'arrive d'y aller boire mon café en révisant les scènes de la journée. Il faisait du taï-chi.

Après une demi-heure, il est venu s'asseoir timidement près de moi. On a répété la scène que je travaillais, puisque c'en était une avec lui. On a vaguement parlé métier et il m'a demandé si je trouvais embarrassants les propos de Rachel. Je lui ai dit que j'arriverais à discerner mes désirs de ceux d'une enthousiaste de sept ans.

Il a souri et a murmuré, avant d'aller se refroidir les sens dans l'eau, qu'il n'avait pas menti en disant qu'il me trouvait belle.

Tiens !

Rachel m'attendait en trépignant sur la galerie. Elle s'est mise à danser dans la cuisine ; la jupe de sa robe-soleil rouge tournoyait et elle trouvait cela très joli.

Bien sûr, elle s'est étourdie et elle est tombée. Je me suis précipitée sur elle en hurlant de peur, certaine qu'elle s'était heurté la tête, certaine du pire en un instant.

C'est elle qui m'a consolée, assise sur le plancher de la cuisine. Elle me tapotait la joue en murmurant : « Ben non, Nathalie... ben voyons, pleure pas, j'ai rien. Regarde ! » Elle s'est mise debout, a effectué deux, trois petits sauts et s'est écriée : « Tu vois ! Je suis vivante ! » Je me suis relevée dans l'état que je prêterais à Lazare fraîchement intimé de marcher.

De quoi réfléchir une quinzaine...

Nathalie a appelé pendant que j'étais là. Je l'ai su tout de suite au ton qu'a pris Rémi : léger, fantaisiste, le gars qui va très bien.

J'étais gêné, il ne lui a pas dit que j'étais là. J'avais la sale impression d'espionner. J'ai fait les cent pas, désœuvré. Ça placotait ferme et je ne pouvais m'empêcher d'en capter des bribes. Elle avait l'air de bonne humeur, ou alors elle faisait comme Rémi, elle en mettait un peu sur la gaîté mordante.

Il a raccroché, m'a observé sans rien dire. J'ai cherché mes mots en avalant péniblement.

Il m'a dit qu'ils sont trois maintenant dans la maison. Il m'a laissé le temps de bien paniquer et il a ajouté : « Un demi-temps pour l'histoire d'amour de Michel et un autre demi-temps pour… Rachel qui veille sur la vertu de Nathalie en partageant sa chambre. »

Il était très fier de lui. Il m'a demandé si ça m'intéressait d'avoir des nouvelles de temps à autre.

J'ai récupéré un fond de dignité pour lui jeter : « Ah, on s'appelle, Nathalie et moi. J'ai des nouvelles régulièrement. »

Je suis sorti de là en lambeaux. Je me serais fait hacher menu plutôt que de demander qui était Rachel.

Malgré la pluie, le vent violent qui couche tout par terre, elle est venue. Enroulée dans un long imperméable qui couvre à peine sa bedaine. Je l'ai regardée par la fenêtre et j'ai eu envie d'aller la chercher pour lui offrir un thé chaud. J'ai peur qu'elle fasse du mal au bébé. J'ai peur qu'elle soit seule, qu'il soit parti et qu'elle vienne regarder la mer en espérant le voir revenir. Je deviens d'un insupportable sentimentalisme, j'invente des drames sans fin comme s'il n'y en avait pas déjà assez dans ma maison. Je suis conne.

Je pense qu'elle l'aura en septembre. Des tas de femmes auront des bébés en septembre, en octobre, en novembre. Des tas de bébés vivront au-delà du 17 janvier. Au moins, je ne me dis plus pourquoi. Pourquoi elle? Pourquoi moi?

J'écris cela pendant qu'une petite dynamo de sept ans dort profondément dans le lit près de moi. Tous les soirs, nous avons notre rituel, et je la garde dans mes bras le temps qu'elle cesse de parler. Ce qui est quelquefois long.

Ce soir, après une longue réflexion, présage habituel d'un léger ronflottement, elle a soupiré et murmuré : « Quand tu joues, tes yeux rient. Quand ça s'éteint, ça s'arrête. Je vais devenir actrice, moi aussi. »

Et là, elle s'est endormie pour de bon.

Moi aussi, ma puce, j'aimerais bien que, quand ça s'éteint, ça ne s'arrête pas.

Voilà, j'ai fermé la porte, je suis monté dans ma voiture sans me retourner. J'ai stationné deux rues plus loin parce que j'étouffais. Pourquoi ai-je toujours l'impression d'abandonner Érica, de mal agir envers elle? Qu'est-ce que ça peut lui faire que je reste là où elle est morte, là où elle a vécu? Rien. J'écris rien et ça ne me convainc pas. Je ne peux pas croire que ça ne lui fasse rien! Je ne peux pas croire que je serai un de ceux-là qui enterrent vraiment leurs morts. La douleur du deuil, c'est accepter d'être un de ces traîtres qui laissent la vie reprendre le dessus sur la peine, un de ces traîtres qui laissent les morts se débrouiller seuls. Même les petits bébés morts. Les salauds qui vivent comme tous ces gens ordinaires dont on ne veut jamais faire partie, sauf pour la sécurité d'emploi, la sécurité d'amour, la sécurité de santé, tous ces fantasmes inventés pour encourager les gens à arrêter de souffrir parce que la mort a traversé une chambre d'enfant avec des dauphins peints sur le mur. Des dauphins semblables à celui qui était brodé sur la dormeuse. La dormeuse qui ne se soulevait plus sur la petite bedaine immobile d'Érica.

Je suis sûr qu'ils vont repeindre les murs de la chambre. Un ton uni. L'envie folle d'y retourner prendre une photo.

Qui saura maintenant que, sous un mur lisse, il y a des dauphins qui faisaient les fous pour Érica?

Qui saura que c'est Nathalie qui les avait peints?

Un rouleau de peinture qui glisse sur le mur avec un bruit mouillé de succion : tourner la page, qu'ils disent, repartir à zéro.

Laisser disparaître les dauphins, est-ce accepter que la main qui les a peints ne me touche plus jamais?

Rachel est furieuse : ça fait huit fois qu'on reprend pour elle. Je la vois paniquer, ses beaux yeux sombres cherchent un appui. Je sais bien qu'elle ne veut pas que ça finisse. La dernière séquence est « incanable ».

Je l'ai prise avec moi et lui ai expliqué doucement que cette période s'achevait, mais qu'elle tournerait aussi à Montréal et qu'elle devait aller au mariage de sa mère. Qu'elle serait très contente de faire la bouquetière dans sa nouvelle robe. Que plein de plaisirs l'attendaient.

Elle faisait non, refusait toutes les joies à venir, obstinément, elle s'est serrée contre moi, désespérée. Elle tremblait. J'avais beau lui expliquer que le cinéma n'était rien qu'une histoire qu'on raconte et que, nous deux, c'était du vrai, qu'on allait la faire nous-mêmes, notre histoire, elle était inconsolable.

Je l'ai bercée en me taisant, parce que ça ne sert à rien d'essayer de convaincre quelqu'un qui a du chagrin. Je n'ai vu ni ses yeux, ni son visage quand, en m'étreignant, elle a demandé : « Pourquoi t'es pas ma maman ? » avant de s'enfuir en courant.

Je sais, tous les enfants disent cela à un moment ou à un autre. Mais je suis restée là, bouleversée. Oui, pourquoi je ne suis pas sa maman ? Y a quelqu'un qui peut me dire ça ?

Raphaël est arrivé avec un café et des nouvelles : Érica allait

j'ai écrit Érica

j'ai écrit ça.

j'ai écrit le nom de l'ange

c'est venu si vite, si fort

tout l'amour du monde s'appelle Érica

à jamais.

pardon Rachel — il y avait cette merveille dans ma vie

et chaque fois que le merveilleux, l'impensable

beauté la traverse

je l'appelle Érica.

moi aussi, Rachel,

moi aussi, Érica,

je suis une malhonnête.

Je n'ai presque rien apporté. Vendu le plus possible.
L'appartement est vide ou presque.
L'esthétique du rien, comme dit Rémi.
J'ai fait agrandir et encadrer une photo d'Érica

Oui, j'espère qu'un jour Nathalie la verra
oui, je veux que tout le monde la voie
et sache qu'une petite fille a illuminé et brisé ma vie.

Je regarde la photo et je sais qu'un jour elle aura jauni ou
changé.
Un jour, dans beaucoup d'années, je murmurerai sans avoir
la gorge serrée « c'est ma fille, morte à neuf semaines » et le souvenir de la douleur sera plus fort que celui de sa vie.
Je serai revenu à moi.
C'est cela qu'il faut espérer?
monde étrange où les cimetières sont des lieux honteux.

Pourtant, Rémi est le cimetière de son père
je suis à jamais celui d'Érica
et Nathalie… Nathalie n'aura jamais besoin d'une photo, jau-
nie ou pas
Nathalie a un trou dans le ventre à jamais
et quand elle créera de la beauté
elle puisera dans cet abîme pour offrir du plein
à ceux qui regardent des photos jaunir
pour ne pas oublier.

Tournage intensif de poursuites, de cascades et de scènes d'amour. Je m'applique beaucoup pour les scènes d'amour. Pas seulement pour entendre Rachel glousser d'excitation à la projection, mais pour que mon personnage ait au moins l'air de se planter pour quelque chose de substantiel.

Évidemment, la nuit de la grosse scène de baise sur la plage, il y avait un vent à décorner les bœufs. Évidemment, on gelait. Le vent m'arrachait ma chemise avant même que Raphaël approche. Très réussi, le strip éclair. On va devoir tout refaire en post-synchro. Tourner aux Îles égale un gros budget de post-synchro. Les gars du son virent fous. Cette nuit-là, ils ont carrément abandonné.

À quatre heures, j'étais tellement glacée que le gros plan de l'étreinte devenait risqué. On pouvait difficilement prendre mon claquement de dents pour de l'émoi, même puissant. On avait beau se déshabiller une seconde avant le « action ! », la fatigue, le vent, la fin de la nuit nous donnaient des airs de noyés se faisant le bouche-à-bouche plutôt que des airs d'amants éperdus et tremblants d'amour. J'aurais bien voulu que le scénario ait prévu une petite cabane (chauffée) en bout de plage. C'est pas plus cher, mais qu'est-ce que c'est confortable !

Et puis, à bout, après avoir mangé tellement de sable que le baiser crissait sous nos dents, on s'est mis à rire. Tous les deux, en pleine scène de cul, on riait comme des fous en continuant de faire ce qui était marqué dans le scénario : s'embrasser, se rouler dans le sable, se voluptuer, name it. On a continué tout ça en riant parce qu'on est des bêtes obéissantes et que personne n'a crié : « Coupez ! » Après, le réalisateur a hurlé plus fort que le vent : « Génial ! Qui a eu l'idée de vous faire boire ? » C'est comme ça que les rumeurs de plateau naissent.

Pour notre satisfaction personnelle et professionnelle, Raphaël et moi, on a repris toute la séquence dans mon lit de jeune fille, au chaud, alors que dehors le soleil brillait et que l'équipe dormait.

C'était meilleur.

Rémi apprend l'italien! Qu'il veuille retourner à Rome et revoir ce que ses vingt ans éblouis n'ont jamais oublié, d'accord. Mais pourquoi apprendre la langue? Tout ce travail, tout cet effort... pour rien? J'espère ne pas avoir eu l'air trop surpris ou désapprobateur. C'est pas de mes affaires, ce qu'il fait de ses forces.

Le soleil se lève, je n'ai plus envie d'aller au bureau. Envie de vacances avec Nathalie. Envie d'elle, de perdre beaucoup de temps au lit.

Le même soir.

Je viens de me relire et je suis stupéfait : deux poids, deux mesures. Ceux qui vont mourir et qui le savent, à gauche pour la mise au rancart ; ceux qui vont mourir, qui le savent et n'ont pas encore de raison valable de croire la chose imminente, se rangent à droite et peuvent, aveuglément, perdre leur temps puisqu'ils s'imaginent en avoir. Pour les autres, toute connaissance, tout effort d'apprentissage est nul et non avenu puisque destiné à la putréfaction.

Moi qui ai tenu tout l'espoir d'apprentissage et d'amour du monde dans mes bras, moi qui ai bercé le cadavre tout mou d'Érica, j'ai vraiment écrit que Rémi devait dorénavant vivre son propre deuil? Comme un épais qui n'a rien appris, je le veux dans la mort parce que c'est comme ça que, moi, je le vis? L'envie de m'excuser.

Elle est revenue. Je prenais un dernier café sur la terrasse avant d'aller me tirer dans un ravin à la poursuite du criminel. Le soleil se couchait. Elle s'est assise à la même place que d'habitude. Baudelaire, encore.

Sois sage, ô ma Douleur, et tiens-toi plus tranquille,
Tu réclamais le Soir ; il descend ; le voici.

Si elle ne connaît pas ce poème, elle le recrée sûrement tous les soirs.

Raphaël est arrivé derrière moi, il a mis son visage contre ma nuque, il a posé un baiser léger : « Pourquoi tu vas pas la voir ? »

Parce que ce poème, c'est moi qui le dis et qu'elle est peut-être heureuse.

Mais je ne l'ai pas dit, je me suis retournée pour voir ses yeux et j'ai vite fermé les miens.

Les yeux du criminel ont beaucoup de charme.

J'ai pris la dernière semaine de juillet de vacances. Nathalie va être à Montréal et, à part ses essayages, elle sera libre. Rémi va mieux. On pourra faire des soupers tous les trois, ma terrasse est assez grande pour y mettre une table.

Bon, je vais peut-être enlever la photo d'Érica. Est-ce de la lâcheté? Je voudrais voir Nathalie avec ses yeux d'avant, ceux qui s'arrêtent sur nous au lieu de nous traverser. Je suis prêt à attendre le temps qu'il faudra.

Six mois, six mois aujourd'hui que je suis parti à courir, torse nu à −35°.

Non, je ne l'appellerai pas. Pas aujourd'hui.

C'était la première fois depuis longtemps que Michel et moi ne nous étions pas retrouvés seuls.

Le soleil éclaboussait la cuisine où on prenait un copieux petit déjeuner. On avait passé la nuit à poursuivre notre homme, entassés, lui, moi, le directeur photo, le réalisateur, le gars du son et quelques autres accessoires, dans une R-5. Bref, beaucoup d'action.

Michel parlait à la mer. Il la fixait et s'abîmait dans sa contemplation. Pour la première fois depuis la mort de Philippe, il dit avoir enfin retrouvé des souvenirs heureux. La liste interminable des échecs a ralenti son dévidement. Tout le chapelet de l'autoflagellation du fautif, tout cela a laissé la place à Philippe enfant qui bâtissait des châteaux de sable énormes sur les plages de Bretagne. Des entreprises gigantesques qui l'exaltaient tellement qu'il n'en mangeait plus, n'en dormait plus. Le jour où ce souvenir lui est revenu, le jour où Philippe exalté s'est imposé à sa mémoire et qu'il ne l'a plus bloqué avec sa culpabilité morbide en essayant de réinterpréter cette exaltation pour s'accuser de ne pas y avoir décodé l'excès dangereux, ce jour-là, son fils a enfin réussi à s'imposer, lui, et non pas à faire surgir un long débat intérieur sur ses devoirs de père.

Être responsable de quelqu'un, se sentir piégé, mis en cause à chacun de ses échecs, débattre de l'ampleur des efforts investis pour lui procurer du bien-être n'est pas aimer. C'est s'aimer et se donner de l'importance. Même mort, Philippe n'avait pas réussi à s'imposer dans l'esprit de son père avant ce moment-là, avant ce souvenir-là.

Ce matin, Michel était triste d'avoir raté son fils, de ne pas l'avoir vu. Il avait enfin cessé de se désoler de ce qu'il avait fait ou pas fait, pour se dire que, coupable ou non, il était passé à côté.

Nous avons dormi ensemble dans son grand lit, vertueusement. Il me tenait dans ses bras et a murmuré : « Je tiens davantage à toi qu'à toutes les femmes que j'ai sautées. Cocasse, non ? »

Non, Michel, pas cocasse.

Pas vraiment.

Assis dans mon salon, je me suis aperçu que tout dans cet endroit, en dehors de la photo d'Érica, était organisé pour plaire à Nathalie. Pas un meuble, pas un tapis, pas une fleur, rien qui ne soit pensé dans son optique.

J'ai fait le tour de l'appartement en vérifiant si c'était partout pareil.

Un homme vaincu est revenu s'asseoir au salon : mais où je suis, moi, en dehors de ma désolation d'Érica et de Nathalie? Où je suis?

Est-ce que j'attends le retour de Nathalie pour équilibrer la perte d'Érica?

Est-ce supposé me délivrer de ma culpabilité?

Je ne sais pas vivre autrement que dans l'attente.

Et ça ne veut pas dire « dans l'espoir », comme je le pensais.

Ouais, je vais aller au cinéma.

On a fini le tournage en même temps que les pêcheurs qui rentraient au port. Sauf que, pour eux, le champagne n'était pas débouché. Le blues du dernier jour, toujours quelque chose à regretter, à perdre quand on termine un film.

Tout le monde va regretter les Îles. Ce n'est pas un lieu comme un autre. Il y a une paix et une harmonie obligatoires aux Îles. Conditions difficiles, mais l'exigence ne fait peur qu'aux lâches. Hardi, les braves ! On a festoyé aussi longtemps qu'on n'avait pas envie de se quitter. Pour dire, même Mylène est venue me parler : elle en avait sa claque de m'avoir haïe mur à mur tout le long de l'épisode. Elle trouve très pénible de jouer des sentiments si éloignés des siens. La Thérapie par le jeu 404, que ça s'appelle.

Raphaël a une drôle de façon de résister à la mélancolie de la dernière prise : il se promène, ne parle pas beaucoup et va soudain se déchaîner en dansant deux heures sur la piste. Ça doit être la Thérapie taï-chi 402, dans son cas.

Michel n'arrête pas de répéter les quatre mots qu'il sait dire avec l'accent des Îles. Je trouve la petite bouclée bien tranquille soudain.

Jerry exulte : on a réussi le meilleur épisode, etc., et il me serre de très près. Trop de bulles dans son champagne.

Rachel me manque. Elle se trémousserait sur la piste avec Raphaël et me surveillerait pour s'assurer que je suis un peu jalouse. Elle viendrait me chercher pour que je le séduise. Elle est tellement folle de séduction. Le plus joli jeu qu'on n'a même pas eu besoin de lui montrer. Elle est née avec les règlements dans son sourire.

Raphaël est venu me chercher. Il a une façon de ne pas accepter un refus de danser qui est très, très stimulante.

Nous avons dansé.

Très tard.

Elle reste aux Îles! Une semaine. Sa semaine de repos. Ma semaine de vacances. J'ai essayé de la convaincre de me laisser la rejoindre. Elle m'a dit qu'il y avait quelqu'un avec elle.

Pourquoi Rémi ne m'a rien dit? Pourquoi fait-elle cela? Pour me blesser? Me décourager? Me manipuler? Elle ne veut pas comprendre que je l'attends? Elle fait semblant de ne pas voir que je l'aime? Qu'est-ce que c'est que ce jeu cruel? Depuis quand on appelle quelqu'un qui vous attend depuis six semaines pour lui dire que, finalement, il fait si beau, la maison est libre, Montréal est si pénible... Je suis à Montréal en juillet, je sais que c'est pénible, pas besoin de me donner la météo.

C'est qui ce gars-là?

Je suppose en plus que je n'ai qu'à appeler ma mère pour le savoir?

Fuck!

Raphaël possède à fond un art peu pratiqué : celui de ne rien faire.

Il a l'air né pour les vacances. Il sait rester dans un lit, rêver, se lever juste à temps pour réchauffer le café, il sait s'étendre sur le sable et délirer sur la forme des nuages. Il sait se taire en marchant des heures d'une dune à l'autre et il sait venir me chercher quand je m'absorbe dans une langueur dolente.

Il sait aussi qu'il est mieux de se tenir loin des aveux que son corps proclame déjà bien assez fort.

Il y a des hommes que j'ai consommés comme du fast-fuck, sans me poser de questions, sans m'attarder à autre chose que cette flambée violente et sèche de plaisir.

Chez Raphaël, il y a cette autorité charnelle qui empêche toute fuite dans l'exaltation solitaire — avec lui, le plaisir se partage, il n'admet rien d'autre. Belle exigence, vraiment. Mais un peu dangereuse, parce qu'il a une façon d'écouter le corps avec ses mains... je veux bien essayer.

C'est Rachel qui serait excitée !

Et Rémi qui ne veut rien dire et qui protège Nathalie comme si j'allais sauter dans un avion et tuer le gars ! Il ne veut même pas me dire si c'est plus qu'une baise. Il prétend ne pas le savoir. Comme si Nathalie lui cachait jamais quelque chose. Même ce qu'elle ignore, elle le lui dit. J'ai été assez jaloux de lui pour savoir qu'il est le seul à connaître tous les secrets de Nathalie.

Me semble que j'ai été assez proche de lui dernièrement pour qu'il collabore un peu. Mais non ! Il me regarde me débattre en souriant, comme si la partie était jouée d'avance et qu'il avait les résultats en mains. Tout ce qu'il sait dire, c'est : « Décroche ! »

Facile à dire pour lui.

Il a même proposé de partir avec moi réparer ma semaine ratée aux États-Unis, au bord de la mer. S'il pense que je vais aller à Ogunquit voir une gang de tapettes s'acharner sur un ballon pour permettre aux petits copains d'admirer leur musculature, de la marde !

Elle m'a reconnue et souri bien avant que j'arrive à sa hauteur. C'est l'ennui de la notoriété : on ne peut pas la faire fonctionner selon son désir avec des bouts réservés à la vie privée. Je l'ai saluée et elle m'a invitée à m'asseoir près d'elle sur les rochers.

On n'a rien dit au début. Mon cœur battait tellement fort que j'avais peur qu'elle l'entende. Puis, elle a dit que c'était pour le mois prochain. Fin août, début septembre.

Elle n'est pas d'ici, mais elle s'est mariée avec un gars des Îles. Elle vient là tous les jours pour que son bébé regarde et entende la mer, pour lui faire partager sa fascination pour cet infini qu'elle dit ne pas comprendre mais admirer. Elle dit que les gens croient qu'un bébé a zéro jour à sa naissance, alors que pour elle il aura neuf mois. Neuf mois de plage et de mer.

Je me suis demandé de quoi j'avais eu si peur.

Je l'ai invitée à prendre un thé en haut, à la maison.

Ce n'est pas triste qu'elle était, c'est grave. Ai-je déjà eu cette assurance tranquille, moi aussi ? Même quand j'essaie, aucun souvenir ne surgit de cette époque. Rien. L'histoire d'une autre femme lue dans un scénario ; des faits qui se précipitent jusqu'au crash final.

Pas moi, pas elle, pas ma vie. Des chiffres, des dates sur un calendrier, des mots. Mais pas le temps qu'il faisait, pas l'humeur ou l'odeur de la vie à cette époque.

Rien.

J'ai tenu à la chambre séparée malgré les sarcasmes de Rémi qui promettait non seulement de bien se tenir, mais de répandre le bruit que j'étais pas fif mais généreux. Il sait très bien que je veux ruminer (comme il dit) en paix. Il prétend bien sûr que j'ai l'intention de baiser les quatre filles pour un gars straight qu'on trouve sur cette plage. Pourquoi pas ? Nathalie s'envoie bien en l'air, elle. Faut dire que je n'ai jamais eu le réflexe vengeur : une fille pour ton gars. Bien inutile comme représailles, Nathalie a toujours été relax là-dessus. C'est moi, le jaloux. C'est moi, l'affreux qui se descend parce que Nathalie a du plaisir ailleurs. C'est moi, l'épais qui est certain que l'autre va me supplanter en tout, comme si c'était un concours. C'est moi qui ai toujours cherché le détail précis, celui qui fait mal, celui qui s'incruste dans l'esprit, se répète à l'infini, l'image de la femme qu'on aime qui prend du plaisir avec un autre homme. Le même plaisir.

Rémi me trouve stupide. Il prétend que le sexe est un des aspects les plus volatils d'une relation. La futilité du plaisir qui arrive si peu à témoigner de l'intensité du sentiment. Ce n'est pas vrai et il le sait. Lui surtout, qui a une expérience difficile à battre.

Il y a plus d'une façon de s'y livrer ou d'exploiter le sexe. C'est tout. Il y en a une qui hurle l'amour qu'on ressent avec la même puissance. Exactement la même pulsion profonde et puissante. J'ai osé penser qu'il ne le savait pas parce qu'il n'a jamais fait l'amour à Nathalie.

Dernière nuit aux Îles.

Dernière harmonie avant l'exil.

On se dit qu'on va revenir. Qu'on ne peut plus s'en passer.

On se croit parce qu'on s'imagine être éternel.

J'ai dit adieu aux Îles parce qu'on ne sait jamais si on reverra un coucher de soleil.

De toute façon, le même soleil, la même terre, la même mer ne produisent jamais le même coucher.

Nos yeux changent.

La mer était grise, houleuse. J'avais l'impression que l'avion ne pourrait pas décoller, ou alors qu'une fois envolés, on s'abîmerait dans les vagues. Je supputais nos chances de survie quand Raphaël m'a demandé si je faisais ou non *Andromaque*. Je ne me suis pas rappelé lui avoir jamais parlé de ce rôle. Il a cette façon de prendre ma main qui me chatouille les reins. Il a accepté de jouer Pyrrhus depuis déjà deux mois.

Re-tiens!

Jamais vu quelqu'un de plus cinglant au sujet de ses pairs que Rémi.

Même Nathalie, qui ne donne pourtant pas sa place, a la critique moins acerbe sur la colonie artistique.

Rémi aiguise ses couteaux et les plante dans les reins de la colonie homo.

À croire qu'ils se haïssent de leurs propres mœurs. S'ils se sentent si rejetés, c'est peut-être parce qu'ils se rejettent eux-mêmes les premiers?

« Very clever, my dear », voilà la brève conclusion de Rémi à mes savantes hypothèses.

À la fin du repas, légèrement ivre : « Si tu ne sais pas le temps qu'on met pour se remettre de la haine de soi, t'as aucune chance avec Nathalie. C'est encore plus long que de mourir du sida. Bizarrement, le retour à de meilleurs sentiments personnels est inversement proportionnel à l'avancée de la maladie. »

Je vais ruminer ça au lieu de passer à la prise 205 de Nathalie avec le sale type.

Rémi m'avait avertie : mes petites vacances ont fait des dégâts importants. Et pas juste aux plantes. Il avait même l'air de vouloir protéger le petit. Ça doit être son bronzage tout frais qui lui inspire une telle gratitude.

Il y a mon agent, Yves, Rémi et Laurent qui ont le doigt sur la sonnette et qui veulent tous quelque chose du panier vide que je suis.

Montréal m'épuise déjà. C'est rendu que j'ai même pas le temps de faire mon lavage qu'un urgent besoin de sacrer mon camp me prend.

Y a aussi Patrick, l'assistant réalisateur, qui m'appelle quatre fois par jour en panique parce qu'il faut encore changer le plan de tournage. Je ne vois pas le problème. C'est garder le plan intact qui serait un événement.

Rachel et moi, on sort ensemble ce soir. Elle me racontera le mariage et ses succès.

Qu'est-ce que je vais mettre pour la faire s'exclamer et se pavaner, toute fière de son escorte ? Petite vaniteuse… une vraie actrice.

Pour que le compte soit juste, il faut souligner que, depuis mon retour, Raphaël n'a pas appelé.

Depuis quand c'est long, trois jours ?

Évidemment, on peut supposer que madame profite des dernières journées libres pour en finir avec les effets dévastateurs du tournage précédent.

Aucune urgence à retourner ses appels.

Oui, je crève de jalousie et de curiosité. Apparemment, c'est sérieux, puisque Rémi n'a reçu que peu d'informations.

Ou alors, il s'assoit dessus. Parce que je ne peux pas croire qu'il veuille me ménager, étant donné qu'il ne ménage que les gens qu'il méprise, c'est bien connu.

Évidemment, tout le bureau marche au ralenti et je ne peux pas faire semblant d'avoir du travail pour me distraire.

« Réduit à tenir compagnie aux handicapés », comme dit Rémi qui s'imagine peut-être que je vais avoir l'impolitesse de le contredire.

Ma vie est totalement centrée sur une femme qui ne veut même pas y faire de la figuration.

Décroche, qu'y dit Rémi, décroche. Je voudrais bien l'y voir, lui.

Y a un petit génie de la structure dramatique qui vient de trouver l'œuf de Colomb. Un fanatique de l'action qui a révisé le scénario et a décidé d'y ajouter un dernier punch : la mort de la petite voisine qui en savait trop. Question d'épicer l'histoire et de se placer en position de force sur le marché : ça porte le nombre de morts, pour cet épisode seulement, à douze.

Ils sont tous restés la bouche ouverte de voir leur torchon revenir avec ma petite note : *Pas signé pour un sous-produit américain où le meurtre gratuit est là pour faire illusion et relancer une histoire sans queue ni tête. La voisine reste en vie ou l'inspecteur-chef vous crisse là.*

Bien entendu, on va m'expliquer la nécessité logique de ce meurtre.

Bien entendu, que la nécessité logique fasse surface deux ans après l'écriture d'un scénario où la victime n'apparaissait même pas à l'origine ne leur semble même pas discutable.

Bien entendu qu'« une actrice ébranlée par un drame personnel » se mêle d'avoir des réactions sur un sujet qu'elle connaît (la structure dramatique, câlice !) ne leur paraît surtout pas autre chose qu'une « overreaction » très émotive qu'ils sont donc prêts à comprendre. Tout cela n'est bien sûr qu'un débordement émotionnel et non une discussion professionnelle. Je ne les ai pas descendus, peut-être, les autres tarlas qui baignaient le tout dans l'hémoglobine nécessaire au genre ?

Dans ce pays, on a avantage à s'exprimer sur ce qu'on ne connaît pas. Exclusivement. Un peu à la manière du crosseur qui a amélioré le scénario que je ne jouerai pas.

La poupée va faire non.

La Presse a titré « Dissension majeure entre les producteurs et la vedette principale ».

Et ça discute des fondements de l'art : un acteur a-t-il le droit de refuser de jouer un personnage parce qu'il n'est plus d'accord avec le texte qu'on a changé ?

Et les sous-entendus se multiplient sur les vraies raisons du débat, Nathalie ayant apparemment paniqué à l'idée de voir un enfant se faire tuer. On enchaîne sur la violence à la télé, la liberté d'expression, les lois du genre.

J'ai montré ça à Rémi en lui demandant s'il était au courant et depuis quand.

Il n'a rien dit. Il était vert de rage.

Je pense que Nathalie ne fait pas faux bond seulement à son ex-mari.

Mais enfin, qu'est-ce qu'ils s'imaginent? Que je vais les remercier à genoux de me permettre de gagner ma vie en disant des âneries?

Je ne dois avoir de convictions et d'émotions que quand on crie : « Action ! » ?

Ces gens-là, qui ne pensent que si leur gérant de banque les appelle, ces gens-là qui font dans le divertissement avec une telle gloire, ces gens-là ont le culot de trouver la putain discuteuse? Ils prétendent même me faire une réputation de difficile?

Mais il suffit de réfléchir dans ce milieu pour être qualifiée d'infernale empêcheuse de tuer en rond !

Je suppose que, s'ils avaient rajouté une fellation plein cadre, je serais en droit de contester. Mais une petite balle perdue qui achève un enfant — comme ça arrive si souvent aux États-Unis et c'est la vie vous savez, c'est vraiment comme ça, c'est vrai, réel —, une petite balle qui, par hasard, traverserait la tête de Rachel, c'est beaucoup, beaucoup moins choquant qu'une pipe !

Ça veut-tu dire qu'on fait moins de pipes qu'on ne tue (par hasard) d'enfants?

Je vais exiger une scène de fellation, je pense.

Tenons-nous-en au réel et c'est une bande de crosseurs.

Elle est sur toutes les ondes, toutes les émissions de télé, elle est même aux affaires publiques. Nous l'avons regardée, Rémi et moi, en direct pendant vingt minutes : elle faisait face au producteur et à l'auteur incriminés. Toute seule. On en oubliait de respirer. Ils ont eu l'air de purs épais. Des cons profiteurs, des manipulateurs qui ne se rendent pas compte qu'ils parlent à beaucoup de gens et véhiculent des idées avec leurs histoires — même s'ils n'en sont pas conscients. Nathalie a été impeccable : passionnée et limpide, elle reprenait le balbutiement approximatif de ses vis-à-vis en le rendant clairement insignifiant et leur demandait sans cesse de « préciser cette pensée ». Puis, quand l'autre essayait laborieusement de se dépatouiller, elle répliquait par un de ses sarcasmes dont l'intelligence est du pur curare.

Quand ils ont dit presque ouvertement qu'elle ne réfléchissait pas, mais réagissait émotivement à son drame personnel, elle a gardé un long silence, la caméra la cadrait de très près, elle a soupiré en souriant légèrement et murmuré : « Vous voulez dire que, si mon père meurt, je me trouve totalement incompétente à juger d'une scène où un homme d'environ soixante-sept ans est menacé ? Vous voulez dire qu'un bon jugement est totalement dissocié de l'expérience humaine ? Vous voulez dire qu'un auteur ne se réfère jamais à ce qu'il a ressenti, sous prétexte que cela pourrait altérer son jugement ou une supposée impartialité ? Vous insultez le spectateur, monsieur. Et vous vous mentez. » Tous les journaux ont repris cette phrase, je peux la citer textuellement.

La gueule de l'auteur ! On en dansait dans le salon, Rémi et moi. On se mourait de plaisir.

L'animateur a conclu là-dessus — pas de réplique aux deux autres, bouche ouverte.

En sortant du dernier direct, Raphaël m'attendait. J'étais si épuisée que je ne savais même plus si ça me faisait plaisir. Les Îles ont eu l'air d'appartenir à un très lointain et vague passé.

Il m'a entraînée, il a fermé la porte de ma loge, parce qu'il y avait encore des gens qui voulaient quelque chose, il a éteint la lumière et m'a prise dans ses bras. On est restés comme ça très longtemps, à danser le slow dans le noir alors que ça cognait ferme à la porte.

Il n'a rien dit, seulement sa présence chaude, totalement rassurante et sa main dans mon dos comme un long monologue de consolation.

Quand le téléphone a commencé à sonner dans ma loge, il a seulement dit qu'on dormirait chez lui pour avoir la paix.

J'ai vu le gars. Photo pleine page à la sortie de Radio-Canada. Il tient Nathalie par les épaules et la protège des photographes. Il est très grand, très brun, très beau. On ne voit pas bien le visage de Nathalie.

Un vrai choc, cette photo. Une déclaration de mariage à la face du monde. Qu'est-ce que je suis supposé dire, moi? Rien?

Ma mère est furieuse, elle me demande pourquoi je ne suis pas allé l'attendre à la sortie des studios, c'est qui, cet homme, un acteur presque inconnu qui va se faire un nom sur son dos, qu'est-ce que j'attends pour appeler Nathalie?

Je n'ai même plus besoin de penser quand ma mère prend le relais.

Mon agent trouve que, pour le travail qu'elle abat, le salaire est pas terrible. Ils sont déchaînés, mais ils vont se calmer. Une nouvelle, ça ne dure pas plus que quarante-huit heures. On est à mi-temps. Et puis, ça presse, le tournage est bloqué, mais il doit en principe recommencer après-demain.

Je me suis beaucoup inquiétée de Rachel. Sa mère résistera-t-elle au plaisir de se faire photographier avec sa fille ? Rachel va-t-elle comprendre que je n'essaie pas de l'empêcher de faire le film ? Ni d'être une héroïne ? Elle est si petite.

Raphaël a été fantastique, il est allé voir Rachel pour lui expliquer et discuter. Il l'a fait dès le matin, alors que j'attendais chez lui, à l'abri des nombreux prédateurs.

J'en ai profité pour prendre mes messages : incroyable le nombre de gens qui regardent la télé. J'ai dû être assez performante parce qu'il y a Mylène qui est « cent pour cent de mon bord ». Et Mylène ne se met jamais du côté des perdants. Jamais.

Coup de théâtre : la petite ne meurt plus. On a changé le scénario et, bien sûr, on réserve la surprise aux spectateurs. On attend l'accord imminent de Nathalie et le tournage va commencer sur les chapeaux de roues. Quel beau coup publicitaire pour eux. Si je ne connaissais pas Nathalie, je penserais même que c'était organisé pour faire mousser l'appétit du public.

Rémi trouve qu'il déteint dangereusement sur moi.

C'est l'anniversaire de Nathalie après-demain, et on est comme deux idiots à se demander si on fait encore partie des intimes qui vont la célébrer.

On pourrait toujours appeler Raphaël pour savoir ce qu'il fait, lui.

Rémi trouve que c'est une bonne idée. Ça m'inquiète.

Une fois l'accord passé, le producteur m'a demandé de « montrer ma joie » aux médias et de rendre publique l'harmonie retrouvée. Ce qui fait que ma dernière journée de congé, je l'ai passée en studios, à multiplier les entrevues. Que la semeuse de zizanie paye !

Raphaël est venu me chercher après la dernière radio. Épuisée, vidée, blanche, je n'avais même pas revu mon texte (un beau script bien neuf et réécrit) pour demain. Je n'avais même pas eu l'immanquable trac qui précède le début d'un tournage.

Il a proposé un verre chez lui avant que j'aille me faire une soupe et me coucher tôt et seule.

Ils étaient tous là. Tous. Champagne en main, ils ont hurlé « bonne fête ! » dès que Raphaël a ouvert la porte. Rachel s'est mise à pleurer parce qu'elle était trop émue. Elle s'accrochait à moi en sanglotant ses « bonne fête ». Michel, revenu plus tôt qu'annoncé, le producteur, Patrick, Jerry qui n'arrêtait pas de me dire que j'étais toute une alliée (quelle guerre on a faite ensemble ?) et Rémi, Rémi qui a surmonté sa répulsion pour ce genre d'agapes (« les places sont chères pour te voir ! ») et qui m'a analysé l'intérieur en un seul coup d'œil. La fête, quoi ! La maquilleuse m'a promis qu'elle prendrait dix minutes de plus pour effacer mes huit heures de sommeil en moins. Tout le monde était dans une forme splendide et semblait me porter une affection insoupçonnable. Chacun est venu me dire (dans le particulier des particuliers) à quel point ils ont apprécié mon intervention et à quel point ils admiraient mon courage. Courage ? Je caressais le dos de mon petit koala-Rachel endormie d'émotion contre moi… Courage ? Ils ne savent pas à quel point les petits koalas sont attachants.

J'ai vu la page se tourner sur moi. Je me suis senti devenir le passé désobligé. Sensation puissante de n'avoir aucune importance. La canne de bines vide.

Rémi a été invité. Rémi l'a fêtée. Non, je ne pouvais pas exiger de lui une allégeance amicale qu'il ne pouvait me donner. Je le sais. Ça fait partie du trou dans lequel je n'en finis plus de tomber.

Je devrais être heureux qu'elle ait tant d'amis.

Je suis désolé d'en avoir si peu.

Je devrais me réjouir de la savoir entourée.

Je suis jaloux, envieux, je voudrais que mon nom veuille encore dire quelque chose de doux pour elle.

Je suis prêt à ne plus discuter l'injustice de la mort d'Érica si quelqu'un me jure de réparer celle-là : l'injustice de la fin d'un amour véritable, qui a existé — qui existe encore pour moi.

Mon Dieu, est-ce que je suis le seul qui puisse en témoigner ?

Qui va me croire, maintenant, si elle ne m'entend plus ?

Même moi, je tournerais la page sur ma face.

Ce n'est pas l'épuisement ni le manque de sommeil. C'est plus fort que moi. Depuis huit ans, ce jour est plus important pour Laurent que pour moi. Mon anniversaire l'a toujours fait frétiller des semaines à l'avance. C'est le roi des célébrations fastueuses.

Son message était si poli, si réservé.

J'ai mis mon ventilateur au gros max, je me suis étendue sur mon lit et je l'ai appelé : jamais entendu mon nom prononcé avec tant de bonheur. J'oublie toujours que Laurent est un enthousiaste fragile.

Est-ce parce qu'il n'a rien demandé, rien exigé que je lui ai dit qu'à la chaleur qu'y faisait je pique-niquerais bien en petites culottes sur mes draps frais ?

Il a un sens de l'organisation imbattable.

J'ai quand même passé un T-shirt.

Elle dort à poings fermés. Elle avait refilé ce talent à Érica. Quand elles dormaient toutes les deux, on aurait dit deux marmottes en plein hiver. Moi, j'ai toujours préféré les regarder. C'est ça qui me repose. Je n'ai pas envie de me poser d'insondables questions ni de me torturer avec un après qui n'existe pas toujours de toute façon.

Elle dort et le monde tourne normalement. Elle dort et je veille. Je ne pourrai plus jamais dormir avec cette femme sans veiller — même s'il n'y a plus de chambre à côté.

Elle ne bouge presque pas : un pied, une main, petits frémissements qui me disent que tout va bien, que le sommeil a gagné sa totale et consentante reddition.

La nuit d'août qui entre par la fenêtre est si tranquille, si chaude.

La nuit d'août qui pose sa brise sur la peau parfumée de Nathalie.

C'est donc ça, l'été.

Rémi est furieux et je n'arrive pas à savoir pourquoi. Plus j'essaie, plus le sarcasme tombe dru. Ça doit être grave. J'ai vérifié si la petite frappe était ou non dans les environs, s'il n'avait pas pris feu pour un quelconque salaud qui passait par là (sa spécialité, à Rémi, les salauds qui passent par là), si les plaquettes ou autres constituants essentiels n'étaient pas en dessous de trente-deux (il marche en Fahrenheit), rien.

Il m'a fait son numéro de grande folle à l'esprit percutant, il s'est permis de commenter allègrement l'élégance des cuisses de Raphaël (ce qui signifie que Raphaël a résisté au scanner de l'amour exclusif de Rémi) et rien d'autre.

Alors ?

Mystère !

Si je pose la question, il va évidemment me regarder d'un air dégoûté.

Le prix de l'amitié, quand même !

J'ai décidé de partir. Deux semaines. Des vacances, des vraies. J'ai choisi l'endroit parce que je n'y suis jamais allé. Donc, aucun risque que Nathalie y soit présente à chaque pas. Quoique… En tout cas, je vais essayer. Vraiment.

C'est en Californie, à Malibu. Ça devrait être assez dépaysant.

C'est sûr que Rémi ne comprend pas pourquoi je n'ai pas choisi San Francisco ! Je lui ai rappelé mes allégeances sexuelles et mon objectif de grand-repos-face-à-la-mer.

Je ne lui ai pas dit que j'ai passé la nuit avec Nathalie. Elle le fera si elle le veut. Cette nuit-là, je la garde pour moi.

Non, je ne pars pas quinze jours pour pouvoir y penser. Non.

Je vais prendre des vacances à un endroit où je n'attendrai pas une femme que j'attends depuis que je suis né et que j'ai eu le bonheur de croiser pendant sept ans.

Journée légère malgré la pluie. Journée de liberté. Journée de café au lit et de dodo-sur-texte. Laurent s'en vient puisqu'il m'a annoncé qu'il part demain aux aurores et que je lui ai demandé de passer me « kisser-good-bye ».

L'esprit roué qu'est le mien tout de même.

Dès que l'oiseau veut partir, j'éprouve comme une petite faim…

Non, ce n'est pas vrai, je ne joue pas. Je ne peux pas plus, c'est tout. Laurent est à prendre à doses homéopathiques. Un poison délicat.

Deux heures trente du matin.
Il vient de partir — le lit sent lui
l'envie de me rouler dans sa peau
d'oublier.

Laurent, le seul homme à qui je dis je t'aime sans fermer les yeux après, de peur d'avoir menti et que ça se voie.

Quinze jours…

Première page de mon beau cahier neuf.

Je n'écrirai pas longtemps. Je m'endors pour mourir, j'ai le cœur fou et ce n'est pas le café. Je suis exalté, soûl, pâmé et malade d'inquiétude.

Si je pense à sa présence, c'est oui et l'avion ne tombera pas.

Si je calcule le nombre de fois qu'on s'est vraiment parlé depuis la mort d'Érica, le nombre de fois qu'elle m'a dit se souvenir qu'on a été mariés, pas juste amants,

et des parents
et des orphelins d'un bébé mort

alors là, l'avion va tomber

et je vais m'écraser.

À qui parle-t-elle d'Érica ?

Tous les livres que j'ai lus me disent que ce n'est pas normal tant qu'on n'en parle pas.

Mon actrice préférée prétend ne jamais avoir été normale de sa vie.

Et je ne sais que recenser, c'est bien connu.

Je le savais! The shit hit the fan. Tourner à Montréal au mois d'août, c'est l'enfer. Le vrai, celui du petit catéchisme. Allumer un spot quand il fait 30° à l'ombre, ça fait mal. Alors… trente spots! L'équipe est surchauffée. Tous les costumes passent au séchoir à cheveux entre chaque prise et, bien sûr, la journée du record absolu, c'est dans un parking à l'asphalte fondant, un parking écrasé de soleil qu'on a tourné. L'énergie tombe dès qu'on nous crie «coupez!». L'acteur qui joue le troisième couteau est soit tellement gelé qu'il a la goutte au nez, ce qui rend Michel malade d'agressivité, soit tellement paranoïaque qu'il en oublie son texte, ce qui me rend d'humeur assez combative. Et il est le seul à penser que rien ne paraît de ses excès. Pauvre tarte!

À part ça, que du courant, de l'ordinaire : le perchiste a volé la blonde de l'accessoiriste qui, lui, regarde maintenant la script, ce qui fait que le réalisateur chipote et discute chaque détail pour le remettre à sa place. Et Patrick, en vaillant assistant-réalisateur, qui essaie de pousser tout ce beau monde vers une prise.

Il n'y a que Rachel, mon petit oiseau des îles, que la chaleur ne fait pas grogner. Rachel qui s'extasie quand quelqu'un a une piscine et qui finit immanquablement ses journées en barbotant. Qui peut résister au sourire de Rachel?

Rémi n'appelle pas pour nos placotages insignifiants et quotidiens. Ce qui me laisse croire que je vais avoir à jouer la grande scène du deux avant peu.

Raphaël prétend qu'il m'attend tout le temps et qu'il trouve ça dur d'être un deuxième violon.

Mon premier violon se promène sur une plage à Malibu.

J'ai apporté l'autre cahier, le premier, et j'avais l'intention de me relire pour amorcer ce que j'appelle mon examen de conscience. J'en suis totalement incapable. Quand j'ai lu la première phrase sur le silence, l'angoisse pure m'a saisi, et j'ai eu l'impression que relire ces passages me gâterait non seulement mes vacances, mais ma réflexion. Il y a une sorte de violence dans la mort d'Érica que je ne veux plus jamais avoir à vivre. Je sais que des gens vont mourir, que je ne peux pas changer cela, mais plus jamais avec cette brutalité, ce côté catastrophe irréparable.

Même si mon père mourait d'une crise cardiaque, ce ne serait pas le même sentiment de dévastation. Parce qu'il vieillit et que son cœur s'use, ce genre de choses. Même Rémi, malgré mon affection, sa jeunesse et la peine que ça me fait, je sais qu'à plus ou moins brève échéance il va mourir. Il me semble que je vais pouvoir passer au travers, le prendre. Pas sans peine, mais quand même.

Ces mois de janvier et de février, ces moments-là, l'angoisse dense qui s'en dégage encore, je voudrais un contrat signé avec le ciel pour être certain qu'on ne me les infligera plus jamais. Et je voudrais inclure Nathalie dedans.

Je voulais faire une liste des questions auxquelles j'essayerais de répondre.

La mer est si belle, si vaste, je rêve à mon actrice, ma belle star dont les yeux brillent la nuit. Pour moi.

Je suis arrivée chez Rémi munie de toutes les branches d'olivier que je nous connais : champagne, sushis, petits gâteaux aux amandes.

Sourire sarcastique en ouverture de porte. Ça commençait mal.

On a fait semblant de rien tout le long du repas, et j'ai déposé les armes au dessert : je ne sais pas pourquoi il me fait la gueule et je ne vis pas bien quand il se met à me bouder. Alors, qu'il vide son sac.

Il a dit : Laurent.

J'ai eu beau le regarder sans rien dire, il n'a rien ajouté. Il s'est contenté de me fixer avec l'air du gars à qui on ne la fait pas.

Quoi, Laurent ? J'ai révisé les hypothèses une à une : Rémi est amoureux de mon ex. Il en veut à Laurent d'être parti. Laurent lui a fait des confidences sur moi (gulp !) et lui en a appris une bonne ?

M'énerve, Rémi, quand il fait le grand Maître des charades.

Alors, à bout, je lui ai proposé qu'on se fâche vraiment, qu'on arrête de faire semblant d'être de bons amis jusqu'à ce qu'il sorte son invité mystère.

Il m'a dit avoir promis à Laurent de veiller sur moi, le temps où il sera parti. Franchement ! J'ai passé l'âge du baby-sitting et c'est Rémi qui a besoin de surveillance, pas moi.

Rémi peut être très irritant quand il veut : une vraie diva. Il a dit finalement que je ne me débarrasserais pas de lui, qu'il avait un accord avec moi, mais qu'il préférait me voir faire mes ongles de tigresse sur d'autres peaux que celle de mon ex.

J'ai fait celle qui ne voit pas et il a ajouté avant de fermer la porte : « Tu comprends, Laurent a perdu une petite fille et sa femme il y a moins d'un an. »

Grr !...

Je regarde les surfers pendant des heures. Ici, les vagues sont très hautes, très fortes. Ils sont une trentaine déguisés en requins (bodysuit de latex noir avec casque et planche) et ils valsent sur les vagues comme s'ils faisaient du patin à roues alignées sur le trottoir. Quelquefois, ils se croisent dangereusement en slalomant. Je pense que c'est une plage réservée aux champions.

Mais il y en a un qui performe moins. Juste un. Un peu plus frêle que les autres, je ne distingue pas d'ici s'il est plus jeune ou seulement plus petit. Il tombe souvent. La vague finit par gagner sur lui. Il n'est pas vacillant ou incapable de se lever, non. Il conduit sa planche jusqu'au-delà des brisants et se met aisément debout. Il fait un bon trois cents mètres sans problèmes. Puis, quand la crête des vagues prend de l'ampleur, quand il glisse sur la courbe lisse, on peut voir la puissance du fond qui le fait basculer et tomber.

Les autres naviguent sur le flanc de la vague presque jusqu'au bord de la plage.

Je l'ai regardé se débattre et recommencer pendant des heures. Il ne s'est jamais découragé. Maintenant, il se bouscule sur le sable avec ses copains.

Je ne peux m'empêcher de trouver la métaphore splendide.

Nathalie sait très bien surfer.

C'est idiot et imbécile et je ne sais pas pourquoi je l'ai fait. Pour faire de la marde, je suppose. Mon genre, ça, d'épicer une relation.

Raphaël voulait connaître les résultats de notre souper-causerie à Rémi et moi.

J'ai dit que Rémi s'était mis en tête de protéger Laurent de mes griffes de tigresse.

Il a fait une drôle de gueule, Raphaël. Il a fait un bizarre de « ah oui ? » qui me criait de changer de sujet.

J'ai affronté l'ennemi dans les yeux et j'ai dit oui.

L'ennemi a eu un éclair de colère ou de détresse, je ne sais pas au juste, et il a posé la question : « Et il a raison de s'en faire, Rémi ? »

Je lui ai dit tout net que Laurent et moi, ça ne regardait personne. Que je faisais ce que je voulais, et que si quelqu'un avait le droit de contester, c'était Laurent et basta. J'ai dû lui dire aussi qu'on avait couché ensemble et que c'était pas impossible qu'on recommence. Le genre de détails qui choquent un amant à tendance exclusive. J'ai dû lui dire que s'il ne pouvait concevoir que j'aie des relations intimes avec Laurent, c'est qu'il avait raté un chapitre de notre histoire.

Il avait envie de partir, mais on était chez lui. J'étais terriblement fâchée et je ne sais pas pourquoi. Qu'il veuille m'enlever Laurent, je pense. Comme Rémi.

Je lui ai dit des choses que j'aurais dû dire à Rémi.

Il a proposé qu'on réfléchisse à tout ça à tête reposée.

Je l'ai bien sûr envoyé chez le diable avant de partir me soûler quelque part.

Très fière de moi. Ai-je écrit quelque part que « the shit hit the fan » ?

Je comprends Nathalie de ne pas vouloir se reposer. Quand on s'arrête, on a l'impression de contempler son néant.

Quand on a décidé de faire Érica, c'était comme de bâtir un château à l'endroit où normalement on érigerait une tente. On y a bâti notre château. L'impossible est devenu possible et ensuite il est devenu vrai, il est devenu Érica.

Ce projet commun a nourri notre vie, nos relations, nos conversations pendant trois ans.

Et quand elle est arrivée, c'était plus et mieux que tout ce qu'on avait espéré.

Quelquefois, je me souviens de tout l'espoir qui m'habitait quand Érica vivait et je crois que je n'aurai plus jamais de sentiment aussi fort.

Ça fait beaucoup de vide.

Et le vide, ça fait de l'écho, et l'écho répercute mieux certaines questions. Celle qui marche le mieux, c'est : à quoi ça sert maintenant ?

Je pourrais avoir un autre enfant. Je sais.

Mais Nathalie, elle, ne pourra pas.

Est-ce trop aimer une femme que de ne pas vouloir lui faire ça ?

Je me donne probablement trop d'importance, mais faire un enfant de mon côté équivaudrait à la trahir au dernier degré.

Raphaël boude.

Rémi aussi.

Très bien, qu'ils fassent à leur grosse tête de cochon, j'ai du travail, moi.

Drôle de voir qu'ils boudent tous les deux à cause de Laurent.

Dommage que Rachel habite Montréal, elle pourrait venir dormir chez moi, sinon. J'aimais tellement sa présence aux Îles — la petite boule d'énergie qui tombait endormie d'un coup sec, au beau milieu d'une phrase.

La petite frisée des Îles est arrivée hier : Michel trouvait que l'amour par téléphone, c'est un peu frette, et qu'après ce genre de coït l'homme est vraiment triste.

Je pourrais demander à la mère de Rachel si elle ne voudrait pas lui permettre de prendre deux jours de congé avec moi.

Comme ça, elle pourrait « profiter » de son mari.

Et moi, de Rachel.

D'habitude, je regarde l'aurore de mon balcon et, quand la boule rouge du soleil a crevé l'horizon en grimpant derrière les montagnes, je descends sur la terrasse qui s'avance dans la mer et je savoure le bonheur du petit déjeuner avec le journal. Depuis une semaine, c'est mon nirvana, ce repas pris avec la beauté.

Il y a cette femme entre deux âges, bien conservée et qui sent le parfum très fort, qui me faisait un sourire engageant chaque fois que je levais les yeux pour admirer le paysage. Je redoutais beaucoup une conversation.

Le monologue a eu lieu ce matin. J'avais à peine avalé mes céréales quand elle s'est approchée de ma table en affirmant que ça ne me dérangeait pas. Elle s'est mariée trois fois. Elle a aimé le premier, supporté le second, et le troisième lui est mort dans les bras, crise cardiaque au moment crucial. Il a eu la gentillesse de lui laisser une fortune qu'elle dépense lascivement en proclamant que l'argent n'est rien. Sur ces bonnes nouvelles, je me suis levé, poliment excusé et je l'ai laissée à son passé.

Qu'est-ce que cette femme raconte après la première nuit si elle dit tout ça après un café?

J'ai marché trois heures, heureux tout à coup, libre et heureux. Cette femme ne saura jamais à quel point elle m'a fait du bien.

On a commencé par décorer l'appartement. Rachel trouvait ça très joli, mais les murs étaient trop blancs à son goût.

Elle a dessiné furieusement et j'ai essayé de participer. Elle trouve mes œuvres trop bébé. Rachel dessine avec une telle énergie qu'elle en met beaucoup sur la table, le cadre du papier lui semble toujours trop restreint. Le résultat est une explosion : de couleurs, de mouvements, d'émotions. Rachel est une déflagration en elle-même.

On est ensuite allées au cinéma et on a mangé en discutant du jeu des acteurs. Elle prétend savoir quand ils font trop « assemblant » et que ça paraît. J'aime beaucoup quand elle se lève en plein restaurant et m'illustre son propos pour être bien comprise. Elle le fait à fond, très concentrée et totalement ignorante du regard des autres. La serveuse m'a dit en encaissant que ma fille suivrait mes traces. Je n'ai pas rectifié. J'étais bêtement ravie. Elle a décidé de coucher dans le grand lit avec moi « au cas où quelqu'un aurait des rêves ».

Quand elle s'est endormie, elle essayait de m'expliquer que sa mère lui « confixait » des jouets quand elle exagérait.

Elle dort et son ourson lui cache la joue. Il ne reste que dix jours de tournage. Il va falloir qu'on se fasse de grands serments parce que je ne veux pas qu'on me « confixe » ma Rachel.

Je promets bien sûr de ne pas exagérer.

Raphaël vient d'appeler. Six jours qu'il a mis à réfléchir. Il voulait venir me parler. Lui ai dit qu'il y avait quelqu'un dans mon lit.

Parce que j'étais heureuse, je lui ai dit qui c'était.

En me promenant sur la plage, au coucher du soleil, j'ai eu une folle envie d'écouter l'*Ave Maria* de Schubert. Maso? Non, une envie de me rappeler ce bonheur intense qui a été le mien.

Le bonheur qu'un être humain a eu n'est pas seulement une chose perdue, un souvenir douloureux parce que disparu. C'est quelque chose qu'il possède pour toujours.

Érica a existé. Elle n'existe plus, c'est vrai, mais elle a existé. Et ce souvenir n'est pas morbide. C'est ma vie. Mon passé.

Je suis aujourd'hui un homme différent parce qu'il y a eu Nathalie et Érica dans ma vie. Je voudrais cesser de considérer tout cela comme un échec personnel dont il ne faut plus parler. C'est ma vie au même titre que les trois maris de la dame qui sent fort.

Si j'arrive à accepter la mort d'Érica, elle pourra rester en moi comme un souvenir bienfaisant, une force plutôt qu'un cataclysme sur lequel on dérape aveuglément.

Je voudrais tellement expliquer cela à Nathalie.

J'ai accepté *Andromaque* et un autre radio-feuilleton qui commence dès septembre. Mon agent a eu l'air inquiète : je suppose que les horaires vont être déments. De toute façon, pourquoi prendre des vacances ?

Raphaël n'est pas enchanté. Contrairement à ce qu'il a prétendu, nos relations professionnelles vont souffrir de notre absence de relations personnelles.

Lui ai dit que j'étais prête à poursuivre avec lui, que je l'aimais beaucoup, bref, le grand jeu. J'avais même mis ma robe noire pour bronzage avancé.

Il a eu l'air sensible à ma déclaration mais a fini son homard avant de me demander mes conditions.

Ça sentait la négociation. Il s'est d'ailleurs empressé de me donner les siennes.

Il a précisé que le partage avec Laurent lui semblait non seulement malsain, mais pas net. Il a étalé ses théories : un divorce, ça doit se vivre, tout comme un deuil. Il pensait que j'avais des retards importants sur les deux sujets. Il a prétendu être très amoureux de moi et que l'exclusivité faisait partie des conditions sine qua non.

Je lui ai dit que ma thérapie était finie et que ses conseils de psycho 101, il pouvait se les garder. Quant à sa possessivité, je lui ai expliqué que je ne pouvais pas me refaire une virginité sous prétexte qu'il m'aimait.

Il n'a rien dit. Il a commandé un café. J'ai pris un cognac.

J'allais me calmer quand il a prétendu que je ne comprenais pas à quel point c'était sérieux pour lui. Il voulait m'épouser. Il voulait un enfant avec moi.

J'ai réussi à n'être malade que chez moi.

Laurent a raison : il faudrait retirer leur permis aux chauffards.

Il a failli me tuer.

Je ne me suis pas posé le quart des questions que je m'étais promis de me poser.

J'ai acheté — presque contre mon gré — trois cadeaux à Nathalie et rien à ma mère.

Et il reste trois jours.

Par contre, je dors divinement. La mer a une façon de vous hypnotiser qui tasse toutes les angoisses.

Le seul ennui : la mer, le soleil, le paysage donnent des élans et me font rêver… à la seule personne à qui je me suis juré de ne pas rêver.

Pour ne pas gâcher mes chances.

Mais soleil et mer sur la peau de Nathalie — ça a toujours été dangereusement explosif.

Je la revois dans trois jours.

La tête de nœuds qui a réécrit ses devoirs n'a pas pu s'empêcher de se faire une fleur et de s'offrir une petite fausse fin en forme de balle.

Il y a Rachel qui se tient à l'extérieur, près de ma voiture ; il y a moi et Mylène qui allons dans l'atelier de débosselage d'autos pour faire un massacre et il y a Michel qui s'en vient avec l'équipe de secours.

Mylène et moi, on en tue cinq en dedans pendant que Rachel s'accroche au bumper de l'auto en tremblant. Deux, trois close-up sur moi qui fais des allers-retours vers la porte pour être sûre que la petite est relativement à l'abri. Profitant lâchement de mon angoisse, le bandit principal sort du hangar, se jette sur Rachel et lui crisse son arme contre la tempe. Drapeau blanc. Je m'avance, dépose mon revolver en donnant le même ordre à tout le monde. Rachel me fixe en claquant des dents. Suspense. Le gars recule en tenant toujours Rachel en joue. Je crie de la lâcher, qu'on ne bougera pas. Je vois Michel se pointer derrière mon bandit. Je ferme les yeux.

Quand je les rouvre, Rachel est par terre et personne n'est autour. Je pousse un hurlement en me précipitant sur elle.

Suis supposée l'étreindre désespérément en criant « Non ! »

Elle est supposée reprendre conscience, n'être que sonnée parce que le vilain l'a assommée par erreur en étant lui-même assommé par Michel. On rit — générique sur l'imposant dispositif policier et le méchant qui fait sa sale gueule de méchant pendant que Michel lui passe les menottes.

Je n'ai jamais aimé cette fin.

En plus, on va devoir la tourner sous la pluie, on a épuisé tous les intérieurs qu'on avait et la météo annonce le déluge trois jours en ligne. Ma pauvre Rachel qui grelotte sous l'eau. Je hais cet auteur.

Rémi m'a appelé. Quelque chose est arrivé sur le plateau. Nathalie ne va pas bien.

Elle devait courir vers quelqu'un en hurlant. Donc, Nathalie devait faire ça, il pleuvait à verse et ils n'y arrivaient pas. Nathalie bloquait. Elle n'arrivait pas à crier.

Elle faisait sa gueule muette et courait comme une folle. Mais y a rien qui sortait.

Ils ont fait des tonnes de prises sans succès. Le réalisateur n'en démordait pas, il voulait son hurlement dans l'action, pas question de post-synchro. Ça a l'air qu'un imbécile a suggéré de placer la petite voisine pour vrai et que, sans le dire à Nathalie, elle devait dire ou faire quelque chose qui provoquerait Nathalie à réagir dans le sens du scénario. Quelque chose pour la faire hurler de peur.

Personne ne sait ce que la petite a fait, mais ça a marché.

Nathalie a hurlé et n'a plus arrêté.

Ils ont appelé Raphaël qui a appelé Rémi qui m'a appelé.

Qui vais-je appeler si je ne réussis pas ?

Patiente emmenée à l'urgence par l'équipe de tournage.
État de choc.
Vomissements, nausées.
Aucune lésion ou fracture.
Épuisement et déshydratation.
Consultation avec le psychiatre et réhydratation.

Ça, c'est ma soirée qu'ils ont dit.
Ça m'a coûté un autographe pour le lire.

Elle n'était pas la seule en état de choc : tout le monde avait l'air catastrophé. Ils me regardaient avec un air coupable, comme si j'allais leur intenter une poursuite.

Elle dormait.

Bien pâle, bien inquiétante. Rien d'autre à faire que d'attendre, répéter à Rémi de cesser de se condamner à perpète parce qu'il ne l'avait pas vu venir et essayer de rassurer l'équipe, dont la fameuse Rachel en larmes. Raphaël, je l'ai laissé faire les cent pas.

Michel m'a présenté à la petite comme étant le mari de Nathalie. Elle en a arrêté de sangloter. Sa mère m'a semblé aussi curieuse qu'elle. Rachel m'a considéré gravement, encore secouée de sanglots sporadiques, puis elle m'a demandé si j'allais la guérir de sa peur bleue. Je ne savais pas. Elle a préféré enchaîner sur ce que je savais probablement et m'a demandé pourquoi je n'étais pas dans son grand lit, si j'étais son mari.

Sa mère l'a secouée pour me montrer qu'elle ne l'élevait pas comme ça, mais là encore, la réponse l'a beaucoup intéressée.

J'ai dû négocier ferme avec la mère et sortir tout mon charme pour pouvoir emmener Rachel voir Nathalie. Sa petite main serrait la mienne très fort. Si Nathalie s'en foutait, au moins cela ferait du bien à Rachel de constater que la « peur bleue » ne l'avait pas achevée. Rachel s'est approchée, a caressé sa joue, m'a regardé avec des yeux pleins de questions. Je lui ai répété qu'elle dormait, qu'il fallait maintenant aller faire la même chose avec sa maman.

La main de cette petite fille sur la joue de Nathalie.

Tous mes boudeurs piétinent maintenant à ma porte.
Il n'y a que Laurent qui soit entré.
Je suis supposée dormir. Il est supposé dormir.
Lui dans le salon — moi dans mon lit.
Il pleut à plein ciel.
Trop fatiguée pour écrire.

Je me souviens de cette publicité pour les montres Timex. On fracassait la montre, la noyait, la lacérait, l'écrabouillait, puis, avec un gros plan impressionnant sur les débris, une voix mâle proclamait : « Elle marche encore ! »

C'est ça, l'effet que Nathalie me fait.

Thé citron, biscottes, et la voilà prête à finir le tournage.

Jerry et elle ont mis au point un scénario de fin tournable en une soirée.

Ils font ça ce soir.

Il pleut, évidemment.

Que le médecin l'ait mise au repos complet pour une semaine ne semble déranger que Rémi et moi, les petites natures.

Je fais ça et puis j'arrête.

Je sais bien que je n'ai pas d'ennuis gastriques.

Faut le finir, ce film.

Ça a l'air que, quand je me suis écrasée, Rachel a joué exactement ma partition : elle s'est précipitée sur moi qui hurlais. Pourquoi ne pas le prendre ? Ils ont le punch, l'émotion, la commotion même. Et c'est tourné, en plus. On n'a qu'à tourner le coup que je reçois pour m'effondrer, on insère le plan de Rachel, et je me redresse pour la séquence de poissons heureux sous la pluie comme le twit l'avait presque écrite.

Le cinéma, c'est l'art du mensonge, c'est bien connu.

J'adore le cinéma.

J'ai peut-être des problèmes gastriques, après tout.

Rémi et moi, ses gardes du corps, on a passé la soirée à s'empiffrer de bagels au buffet du plateau.

Nathalie a passé une bonne partie de la nuit dans la vase, mais
elle a tenu le coup. (Elle marche encore!)

Rachel est venue me parler. Elle avait beaucoup de questions.
Elle a commencé timidement en m'interrogeant tout croche
parce qu'elle n'osait pas être directe. Peu à peu, elle s'est détendue et j'ai compris la fascination de Nathalie : Rachel est une
grande théoricienne qui réussit à inclure les émotions dans ses
démonstrations. Quand elle m'a demandé si j'aimais encore
Nathalie, j'avoue que je suis resté surpris... j'ai dit « oui, beaucoup », et elle a hoché la tête, mécontente. Elle m'a demandé de
la prendre dans mes bras, et là, elle a tenu mon visage dans ses
mains en m'observant attentivement. Ça a duré pas mal. Puis,
elle m'a soufflé à l'oreille : « Tu veux-tu encore être marié avec ?
Dans le même lit ? »

Regard perçant. J'ai hésité, puis je lui ai soufflé à l'oreille à
mon tour : « Oui. »

Elle a fait un O.K. chuchoté qui semblait plein de ressources,
genre la fille qui connaît la star et qui va m'arranger ça.

J'ai voulu aller chez lui, j'en avais assez du répondeur, fax, téléphone. J'en avais assez même de mes murs.

Il m'a demandé si j'étais certaine.

En entrant, je l'ai vue : un bébé qui tète, les yeux fixés sur sa mère qui a l'air, elle, de téter l'amour à travers le regard. Que des rondeurs, que du plein.

Je suis restée figée, sans un mot.

Il a dit doucement : « C'est ma fille, c'est Érica le jour de ses deux mois, quatre jours avant sa mort. »

Il a dit ça et je n'ai rien dit. Je ne pouvais rien dire. Je n'avais pas la force de le battre. Ni celle de détruire la photo. Plus de forces.

> C'est ma fille.

Sonnée, je me suis assise au salon.

Quelque chose bougeait en moi, une vague urgence de partir, de fuir.

Je n'avais aucune envie d'être anéantie, comme ça arrive dans ces cas-là.

La douleur vissée au fond du ventre est tellement mieux
tellement plus sûre.

> C'est ma fille.

Je suis restée assise sur ce sofa des heures. À lutter. Froidement. Il n'a rien fait. Rien dit.

> C'est ma fille.

Quand je l'ai regardé, des siècles plus tard, il avait le visage couvert de larmes.

Il avait dû me regarder jusque-là
m'attendre.

> C'est ma fille.

> pour la deuxième fois en deux jours, j'ai hurlé.

Rémi prétend que ce n'est pas une game pour moi. Que je ne sais pas les règles de ce genre de combat.

Rémi trouve que je devrais laisser Nathalie et attendre qu'elle choisisse elle-même ce qu'elle veut.

Moi je dis que si je veux rester avec cette femme, ma femme, j'ai rien qu'à les apprendre, les règles du jeu.

Je sais qu'il y a quelque chose d'anormal, d'excessif, dans notre façon de se jeter l'un sur l'autre et de s'ébranler au point de ne plus savoir de quoi on tremble, de la perte ou de l'acquis.

Rémi ne sait même pas à quoi on joue, à quel point on se brûle ensemble pour nier et étouffer, mais aussi pour avouer.

Ce qu'elle me demandait tant, deux semaines après la mort d'Érica, maintenant je suis en mesure de le lui donner et je sais que la sexualité ne sert pas qu'à édifier, que c'est aussi une violence, une arme, une forme de destruction, et qu'on peut s'y engloutir et y sombrer.

J'aime autant sombrer dans Nathalie que dans mon vide.

Deux vides qui se fracassent l'un contre l'autre, est-ce que ça fait un creux ou un abîme?

Non, deux moins égalent un plus.

Raté le party. Raté quelques appels de détresse.

Vu Michel et Rémi qui passent ensemble la dernière semaine d'août.

Vont faire du ketchup, je pense.

Parlé à Rachel qui a acheté un nouveau sac d'école et qui a reçu des photos de plateau pour pouvoir faire sa fraîche devant ses petits amis. Elle me demande dans quel lit je couche. Elle dit que mon mari est très beau. Petite séductrice, va !

Laurent ramasse peu à peu les morceaux épars et refait une Nathalie. Pourvu qu'on n'en ait pas égaré en cours de route.

Aucune envie de rentrer chez moi.

La seule chose sur laquelle je ne transige pas, c'est la photo. Nathalie hausse les épaules et fait celle qui a, de toute façon, autre chose à faire.

Elle est presque tout le temps dans la chambre. Quand elle ne baise pas, elle dort profondément.

Elle ne s'habille pas, ne se maquille pas, elle reste au lit et s'y réfugie comme dans un abri.

Je lui ai rapporté son courrier avec les courses. Elle l'a tenu peut-être dix minutes puis, sans ouvrir aucune lettre, elle l'a déposé sur la table de nuit.

Je lui ai demandé si elle allait bien, si elle voulait prendre ses messages. Elle m'assure que tout va, que pour une fois elle se repose vraiment.

Je recommence à travailler demain. Elle va rester chez moi, c'est ce qu'elle dit préférer.

Cette photo me met mal à l'aise. Je pense que c'est son côté « quétaine » genre *La Mère et l'Enfant,* sans l'aspect artistique que cela pourrait quand même avoir. Juste l'aspect niaiseux. Pourquoi Laurent met ça chez lui ? Mystère.

Rachel apprécierait, c'est ça le plus drôle.

Je dois aller chercher des vêtements chez moi. J'ai rien foutu ces derniers temps. Faut demander à Laurent où il a mis ma voiture. Les textes radio aussi.

Là, vraiment, je pense que j'ai mon voyage. Je suis si fatiguée, c'est incroyable.

J'ai écrit dix lignes et je suis épuisée. Vraiment, c'était le temps que le tournage finisse.

Elle me l'a raconté comme quelque chose de très drôle. Tordant, même. Elle a pris ma voiture pour aller chercher ses vêtements et elle s'est dirigée vers notre ancienne maison. Elle s'est arrêtée devant et elle est descendue en cherchant ses clés. En butant contre un tricycle rouge, elle s'est brusquement rappelé que « ce ne pouvait pas être chez moi ». Pendant une minute entière, elle dit ne plus avoir su où elle habitait ni ce qui était arrivé à ses affaires. Un blanc, comme au théâtre, et personne pour lui souffler la réplique.

Ce qu'elle trouvait le plus drôle, c'est qu'elle avait déjà eu à jouer ça et qu'elle avait trouvé la situation non crédible et totalement tirée par les cheveux.

Comment peut-elle se coucher en murmurant quelque chose à propos de sa distraction ? Il y a quand même des limites : elle ne peut pas seulement vomir et se retrouver à l'hôpital quand le réel se présente avec un peu trop d'acuité !

Je suis supposé faire quoi, moi ? Ce n'est même pas Nathalie. En tout cas, pas la mienne. Pas celle avec qui j'ai vécu sept ans, avec qui j'ai eu un enfant et sans qui je l'ai perdu.

Rémi qui veut jouer à la mère juive avec moi. Je commence à trouver qu'ils en mettent pas mal. Ils m'énervent tous ce qu'ils en sont avec leur instinct protecteur. Déjà que Laurent me regarde comme une condamnée en sursis! Rémi me demande sans rire où j'en suis. Quand je réponds : entre un film et un radio-feuilleton, il ne sourit même pas!

C'est quoi, cette amitié molle et apitoyée? C'est quoi, cette inquiétude bêlante au fond de l'œil humide? Y veulent quoi?

Jusqu'à Michel qui m'appelle parce que je l'inquiète! Mais ils ont rien à faire, ces gens-là? Rien à dire? Rien à branler? Faut qu'ils se cherchent des poux sur mon supposé malaise? Faudrait que je fasse quoi? Que je contemple le mot *fin* plus de cinq secondes au cinéma?

Ils me font vomir, tiens!

J'ai demandé à Rémi s'il apprécierait qu'on le questionne sans arrêt sur son taux de plaquettes ou de globules ou whatever. Il a eu le front de me dire qu'on le lui mesurait à l'œil. Qu'à chaque personne rencontrée, il y avait une cassette subliminale qui partait : « Ce gars-là va mourir… c'est peut-être la dernière fois que je le vois. Il est jeune, quand même. »

C'est à des détails comme ceux-là qu'on évalue la délicatesse humaine.

C'était risqué, tordu et assez insolite, mais c'est tout ce qui m'est venu. Je l'ai fait en étant à peu près sûr de la perdre ou enfin de l'exaspérer, ce qui revient presque au même. Mais il fallait que je fasse quelque chose. Sa froideur lointaine me terrorisait.

Je l'ai emmenée au cimetière. Je l'ai plantée devant la stèle où un minuscule ange dormait sous son nom.

Je lui ai dit que notre fille était là. Enfin, ses cendres. Que je l'avais fait incinérer et que le monument, je l'avais commandé comme ça parce qu'à l'époque je ne pouvais pas la consulter. J'ai dit très vite que c'était inutile de retourner à la maison, que tout avait été dispersé, donné. Que notre passé, c'est ici qu'il était.

Elle était blême.

Une colère comme je n'en ai jamais vu.

Elle respirait tellement difficilement que j'ai pensé qu'elle vomirait.

J'ai tout pensé, tout, pendant qu'elle fixait la terre avec cet air de bête sauvage.

Au bout d'un long, long temps, j'ai murmuré son nom.

Elle m'a demandé avec la voix la plus posée du monde si je désirais quelque chose : des cris, des larmes, de la bave ou de la musique.

Elle s'est assise dans l'auto en m'assurant que c'était très réussi le coup du choc des cendres. Très.

Elle était livide.

Et calme à terrifier.

Rémi a raison : les vieilles pistes sentent toujours le surette.

Rien de plus décevant que la deuxième prise en amour.

Ça vous a un petit côté chiqué… Laurent est bien gentil, mais il n'est pas de taille.

J'ai vite trouvé la force de faire mes bagages et je suis rentrée.

Enfin ! Mon lit, mes murs, les dessins de Rachel.

Pourquoi est-ce que je ne fréquente que des hommes qui ne sont pas pour moi ?

J'ai traîné le tas de fax dans mon lit : le monde pullule d'inquiets qui s'expliquent de façon obsessionnelle.

Fait longtemps que j'ai pas pensé au cocker. Ses yeux tristes qui me regardent, désolés.

On dirait qu'elle appartient à un autre tournage.

Pourquoi je continue d'écrire dans ce cahier, alors ?

Ben oui, pourquoi ?

Passé la soirée chez Rémi. Ils ont « trouvé quelque chose d'intéressant dans sa plèvre », comme il dit. Il m'a fait jurer de ne pas en parler à Nathalie. J'ai été obligé de lui raconter mon coup de génie et de lui avouer que mes chances de revoir Nathalie étaient très faibles.

« Comme mes chances de ne pas avoir ce cancer, quoi ! » Il a ajouté qu'il fallait absolument crever de quelque chose, que ce virus se trouvait une maladie pour lui mettre sur le dos ses mauvais coups. On ne meurt pas du virus, juste de sa disponibilité pour un cancer ou un autre, « opportuniste » qu'ils appellent ce mal fatal.

Devant la légèreté de nos conversations, j'ai été louer un des premiers films de Marilyn Monroe, *Niagara*. On s'est bidonnés à regarder Marilyn se dandiner et faire pâlir d'envie la femme du gars qui était autrement plus belle et plus sexy. Mais elle était brune…

J'ai demandé à Rémi s'il voulait que je reste à coucher, il m'a dit de garder mes forces pour plus tard, que j'en aurais besoin.

J'ai marché pour rentrer. Non, je ne le prends pas ! Plus cette maladie avance et moins je l'accepte, moins j'y consens.

Nathalie, elle, ne fait pas ça seulement avec les vivants, elle le fait avec les morts.

Rachel est arrivée tout excitée : l'école commence demain et elle revenait du congé de la fête du Travail qu'elle avait passé dans le Nord. Sa mère a été difficile à convaincre, mais j'ai promis-juré de la ramener à sept heures et demie.

On a placoté, ou plutôt elle a jasé. Grosse nouvelle, sa mère est enceinte. Rachel délire de plaisir, de projets. Elle veut un frère, mais une sœur aussi, on verra. Le bébé est pour le mois de mars. Rachel m'a montré comme elle savait bien changer des couches avec sa nouvelle poupée (achetée pour célébrer l'événement), faire faire un rot en tapant dans le dos et bercer et tout.

Elle était si belle, si volubile.

Elle parlait vite, si vite en repoussant la mèche de cheveux qui tombe toujours près de sa bouche. Je l'écoutais et, de temps en temps, c'est moi qui replaçais la mèche derrière son oreille. À un moment, elle a embrassé ma main en la serrant très fort pour exprimer son excitation.

Je la contemplais et j'avais l'impression d'être en train de la perdre. Ce bonheur, ce bonheur qui la fait danser, je ne pourrai jamais le lui offrir.

Rien que je déteste comme ces adultes qui supplient les enfants pour obtenir des choses impossibles.

J'ai été reconduire Rachel, je l'ai serrée très fort, elle a flatté ma joue avec sa main légère et m'a fait un dernier tata avant de prendre son insignifiante et enceinte mère par la main et de rentrer.

Moi, je ne suis pas rentrée. Je n'ai pas d'école demain.

Je ne suis pas sûr de reprendre jamais Nathalie dans mes bras.

Je ne suis pas sûr de ne pas avoir eu besoin de ce retour pour me prouver que je n'étais pas coupable.

Si la personne à qui j'ai fait le plus de mal en perdant Érica revient vers moi, ça voudrait dire que je peux cesser de me damner de l'avoir laissée mourir ?

Je ne l'ai pas laissée mourir !

Elle était morte. Je l'ai ramassée, j'ai soufflé dans sa bouche, j'ai tout fait, mais elle était déjà morte. C'est écrit sur le rapport d'autopsie : *morte à l'arrivée.*

Pourquoi, mais pourquoi je n'arrive pas à m'enlever de la tête que c'est ma faute à moi ?

Et que je dois être puni ?

Si ce soir on me disait que j'ai le cancer de la plèvre, je dirais merci tellement ce nœud m'étrangle.

Je comprends les meurtriers qui se rendent un an après leur méfait.

Un an d'enfer.

Ma petite fille,

Me voilà. Je ne t'avais pas oubliée, je ne m'étais pas éloignée — je me suis perdue quand je t'ai perdue.

Me voilà. J'ai peur que tu n'aies froid. Tu es si douce, si potelée. Tes yeux si curieux qui attrapent tout ce qui bouge avec fascination. Tes yeux qui ne savent se fixer que sur mes yeux quand tu bois. Ta main qui s'élève vers ma joue. Le souffle de l'ange apaisé qui boit son content.

Je t'ai cherchée, mon petit ange. Je t'ai cherchée autant que je t'ai désirée. Je ne pouvais pas, vois-tu, je ne pouvais pas croire qu'une petite fille si vivante, si gigoteuse ne devienne pas une petite écolière avec plein d'histoires à raconter et des peurs à surmonter et des folies à rire et à faire, je ne pouvais pas accepter que mon petit ange arrête de courir vers moi pour me faire pleurer de plaisir.

Mon amour, mon amour infini qui a eu une fin, mon amour d'ange retournée chez les anges, comment veux-tu que mes bras vides ne se tendent plus jamais? C'est le seul chemin qu'ils savent, le chemin vers toi.

Je suppose que tu étais trop petite pour que ce soit moi qui meure.

Mais je suis morte quand même.

Tu sais, mon petit bébé, tu sais, je ne suis pas sûre du tout qu'il reste quelqu'un en moi qui sache continuer sans toi.

Mon amour, tu m'avais appris ce miracle, tu m'avais appris à m'aimer.

Et je suis debout, vaincue, devant ta minuscule pierre tombale.

Tu ne m'as pas laissé la clé. Tout ce qu'il y avait de solide, de certain et de fort est maintenant là, devant moi, sous la terre.

Je voudrais alerter le monde : l'ordre est inversé, une erreur atroce.

Mon bébé est sous terre et moi, la stérile, moi le ventre vide à jamais, je ne serai pas enterrée — je vais errer jusqu'au dernier souffle du monde en murmurant le nom de l'ange qui m'a damnée. Et que j'ai damnée.

Dieu! Si seulement tu existais, je pourrais te tordre le cou et te faire supplier un instant comme je le ferai à jamais.

Dieu! Espèce d'infâme, comment as-tu pu t'arranger pour que mon enfant se présente seule devant la mort?

Je suis là, mon ange, je suis revenue. Beaucoup, beaucoup trop tard, je sais.

      mais même si je grattais la terre jusqu'à tes cendres,

je ne trouverais pas le pardon
je trouverais l'effroi de l'abandon.

Elle a laissé sa brosse à dents. C'est idiot, ce besoin d'objets qui l'ont touchée. Ce besoin de la toucher par procuration.

Je me suis quand même brossé les dents avec sa brosse.

L'impression idiote de l'embrasser.

J'ai bravement résisté et je n'ai pas appelé pour apprendre que « vous pouvez toujours laisser un message ».

On peut toujours, oui.

Vous pouvez toujours espérer, bande de caves.

Je suis arrivée à l'aube. Il ne dormait pas. Septembre est un joli mois pour les aurores limpides.

Je lui ai dit que ma fille était morte.

Il m'a dit qu'il allait mourir.

On était quittes.

On s'est endormis dans les bras l'un de l'autre, à bout de larmes.

Quand ma secrétaire m'a dit que Nathalie voulait me parler sur la deux, le cœur m'a manqué. J'ai pris la ligne en me répétant qu'elle ne pouvait pas me demander le divorce, puisque c'était déjà fait.

Elle voulait s'excuser ! Me remercier et s'excuser des choses désagréables qu'elle aurait pu dire dernièrement.

Sa voix me rappelait quelque chose de très ancien, une voix calme et pleine de nuances affolantes, des nuances à fleur de peau.

Elle m'a demandé ce que portait Érica dans sa tombe.

J'aurais voulu lui dire tant de choses à part « sa robe de baptême ». Mais je n'osais pas.

Elle m'a encore dit merci, de ne pas m'inquiéter, qu'elle m'appellerait.

Je ne me souvenais pas lui avoir entendu prononcer le nom d'Érica depuis sa mort.

Je passe mes journées en studio : le matin, à Radio-Canada pour le feuilleton, et l'après-midi en post-synchro pour tous les extérieurs des Îles. On a un sérieux problème. Il faut refaire tout ce qui a été tourné dehors, mais ma voix a changé. J'ai, semble-t-il, une quinte de plus dans les intérieurs enregistrés cet été, une quinte ! Le gars du son n'en revient pas : non seulement ma voix a baissé, mais il y a un côté qu'il appelle poliment « un peu métallique » qui a totalement disparu. Le fun, évidemment, c'est d'assembler tout ça pour que le personnage n'ait pas l'air de muer et que la production ne se paie pas la totale réfection des dialogues en studio.

Il faut perdre une bonne heure d'ajustement à chaque séance. J'ai beau écouter attentivement les intérieurs, j'arrive pas à m'imiter. On s'en approche, mais il manque toujours quelque chose. Le gars du son, Justin, me fait venir avant tout le monde et on travaille de l'oreille et de la corde vocale.

On est allés prendre une bière ensemble, et il était tout gêné de demander s'il était arrivé quelque chose de grave pour provoquer un tel changement.

En rentrant à la maison, je me suis aperçue que, pour la première fois depuis huit mois, j'avais dit la vérité : j'avais gagné des notes en perdant mon enfant. Huit mois après !

Que celui qui connaît mieux que moi l'art de la fuite se lève.

La volonté de vivre doit faire partie du système immunitaire que le virus ne peut pas gruger, quelle que soit sa détermination.

J'ai repris le chemin de l'appartement de Rémi tous les midis. Il revient de sa chimio vers onze heures et, comme il dit, j'ai le loisir de constater tous les bienfaits du traitement. Il faut une foi plus aveugle que la mienne pour voir cette torture comme une amélioration. J'essaie seulement de garder pour moi mes lancinantes questions : pour gagner quoi ? Combien de temps et quelle sorte de temps ?

Rémi blague entre deux nausées et me dit que je fais une très jolie nurse, un peu moumoune, mais bon !

Ai trouvé un texte de Radio-Canada sur la table. Nathalie vient souvent passer des soirées chez lui. J'ai demandé comment elle allait.

« Beaucoup mieux. Elle a arrêté de vomir depuis que j'ai pris le relais. On a toujours eu un parfait sens du rythme, elle et moi, je tombais en amour quand elle cassait, et vice versa. »

Je n'ai pas demandé des nouvelles de ses amours à Rémi.

Toutes les séquences parlées avec Rachel étaient à l'intérieur. La seule extérieure qu'il fallait refaire, c'était un monologue que je me tapais alors qu'elle s'amusait à sauter sur des carreaux dessinés dans le sable. J'ai eu le plaisir de la voir à l'écran, c'est déjà ça. Justin a soupiré de soulagement : il prétend que les enfants et la synchro sont des produits incompatibles. Je la verrai à la projection.

Revu Raphaël. Très courtois, très poli et agréable, très pro, quoi ! Par chance, parce que toutes nos scènes étaient en extérieurs.

Hier, on s'est tapé les râlements et les soupirs lascifs de la nuit d'amour. Faut un certain sens de l'humour quand même, pour se tenir côte à côte, les écouteurs sur la tête, et gémir de concert avec l'image.

On a beaucoup ri.

Une telle légèreté…

On est allés prendre un verre ensuite et Raphaël a eu le génie de comprendre que quelque chose avait changé. Il a seulement dit être heureux qu'on se parle enfin.

Moi aussi.

Quelquefois, on se demande sur quelle maudite dope on pouvait bien tripper pour avoir fait tout ce qu'on a fait.

Gelée au chagrin.

Pétée à la peine. Ma sorte, ça.

Je n'arrive pas à départager si Rémi m'inquiète ou si j'exagère mon angoisse pour avoir une raison d'appeler Nathalie. Comme un parent divorcé qui parle des problèmes du petit. Le petit rirait de moi en maudit.

Je sais bien que Nathalie le voit aussi bien que moi qu'il faiblit, maigrit, s'émacie.

Je voudrais lui en parler.

> et la voir
> et la regarder en silence
> comme on dit je t'aime.

Il faudrait que je m'intéresse à quelqu'un d'autre.

J'écris cela et j'ai l'impression de dire : il faudrait que je me mente un peu.

Dîné avec mon agent. C'est son anniversaire et nous célébrons l'événement chaque année en « orientant ma carrière ». Elle tripote fax et horaires et elle se plaint de la complexité de ma vie. Ça l'amuse beaucoup.

Les propositions s'accumulent, l'idée de travailler avec une actrice qui pense plaît beaucoup. Elle me parle toujours comme si mes convictions étaient un coup publicitaire. Très flatteur pour ma sincérité. Beaucoup d'offres pour des publicités dont elle ne me parle même pas, sachant ma profonde résistance à me voir sourire en tenant fièrement un pot de margarine. Tant qu'on a les moyens de s'en passer…

La tapette avec qui je me suis obstinée pendant toutes les répétitions du rôle de bitch se confirme maso et veut remettre ça en septembre prochain. Il monte un Tennessee Williams. Non.

L'agent me dit qu'on peut attendre avant de refuser, laisser venir… je répète non. Ferme, sans espoir, sans ponctuation, pas question de se faire chier en essayant de créer de l'art avec un faiseur de saucisses à hot-dog. J'aime mieux la margarine.

Un caméo dans une télé, un doublage, ça va. Puis, au dessert, j'ai demandé si on pouvait me libérer en novembre.

La tête de mon agent : ce novembre-ci ?

Oui, celui-ci, celui qui est dans six semaines.

Pourquoi ?

Ben oui, pourquoi, Nathalie ? Ta carrière part en grande, t'as promis de faire le service après-vente de la série policière et tu prépares *Andromaque* à ce moment-là. T'as oublié, Nathalie ?

Non. J'ai un ami qui meurt et qui sait dire en italien « Le repas était délicieux » et « Vous avez de beaux pectoraux, monsieur » ; alors, j'aimerais l'emmener tester son accent au contact des beaux Italiens qui le font rêver.

Je me prends pour la Fondation McDonald.

Il y avait un grand efflanqué chez Rémi qui pépiait ses profondes théories sur la sexualité. Il soutenait que tous les hommes sans exception devraient coucher au moins une fois avec un autre homme. Que l'humanité en serait améliorée.

J'ai osé lui demander ce que les femmes, elles, devraient faire à son avis. Il m'a regardé sans comprendre, a lancé dans les airs sa longue main manucurée et s'est contenté d'enchaîner sur la lucidité sexuelle nécessaire.

Ça m'a l'air bien à la mode, la lucidité.

Rémi m'a ensuite expliqué que c'était la façon du gars de se croire profond en draguant. Mais que, bien sûr, en dépit de la lucidité sexuelle qu'il professe, tous ses amis sont morts du cancer ou de cirrhose. Manque de pot, comme dirait Michel.

Il a enchaîné, rêveur, que si tous les homos couchaient avec une femme avant de prendre le voile, ça ferait ben du monde malheureux, et que la lucidité sexuelle n'en demandait pas tant.

À quel âge on a le droit de prétendre qu'on n'aime pas quelque chose qu'on n'a pas goûté?

Rémi prétend que j'ai indirectement refusé la plus belle pipe de ma vie. Pis après?

Il a fallu argumenter, faire le numéro de la fille qui en a besoin, qui ne se remettra pas de tant travailler, qui se meurt pour un vrai Italien, bref, Rémi refuse de venir en Italie avec moi.

Trop naïve, bien sûr, il voulait s'envoyer en l'air et ça l'aurait gêné devant sa mère.

La chimio finit dans une semaine (anyway, c'était la chimio ou Rémi). Il a un mois pour se remplumer, je prends les billets et pas de discussion.

Il m'a demandé si je le laissais choisir l'opéra qu'on irait voir à Milan.

J'ai dit peut-être, s'il était sage.

Ses yeux brillaient.

Enfin !

Bien sûr que j'ai dit que j'aimerais mieux être ailleurs pour l'anniversaire de naissance de ma fille.

J'avais décidé qu'on partait. Je n'allais pas reculer devant une toute petite manipulation sordide.

Évidemment, je suis jaloux. Je n'y ai même pas pensé, alors que c'est moi qui ai le plus de temps libre, que j'ai à peine eu des vacances (là-dessus, par contre, Nathalie me bat), que j'ai les moyens de payer le voyage… que j'ai envie d'y aller avec eux, mais trop peur d'être écarté comme une nuisance pour le demander.

Quand on était mariés, Nathalie et moi, j'ai toujours trouvé parfaitement déplacée et encombrante la complicité qu'elle avait avec Rémi. J'ai toujours interprété ça comme si elle avait plus confiance en lui qu'en moi.

Rémi dit qu'elle a bien raison, que lui au moins ne rêve pas continuellement de la sauter.

Voire. Ses obsessions sont semblables, même si elles ne sont pas centrées sur les mêmes éléments.

La mémoire me revient. Tous les événements, les détails rattachés à Érica me reviennent peu à peu. Avec la peine.

Ça fait chier parce que c'est beaucoup plus difficile à contrôler et que le maquillage waterproof, je l'ai prouvé, c'est pas résistant. Ça peut faire pour une larme ou deux, mais ça tient pas le coup devant mes tendances océaniques.

Repris ma thérapie avec Rémi : on loue des films drôles et c'est celui qui pleure le premier qui gagne. On a un fun noir.

On faisait ça il y a sept ans, quand il a appris que l'Horreur Installée à Vie avait élu domicile chez lui.

On ne savait pas alors que le plus fancy dans ça, c'était le facteur temps

> qui s'étire et qui s'n'élonge
>
> qu'on n'a plus, qu'on a encore un peu
>
> qui te fait dans les mains dès que t'essayes d'en profiter
>
> et qui s'offre langoureusement dès que tu y as renoncé.

Une maudite plotte, le temps, surtout avec l'Horreur Installée à Vie.

Dieu qu'elle est belle quand elle est accessible! On a mangé ensemble à la terrasse d'un restaurant encore ouverte pour les belles nuits. Même quand elle a refusé que je fasse le voyage de groupe, elle n'était pas cassante ou railleuse.

« C'est un voyage pour Rémi, pas pour nous », qu'elle a dit. Le seul fait qu'elle dise nous me faisait plaisir. Et je sais bien que Rémi entre nous deux se sentirait comme un conseiller conjugal des plus ridicules.

C'est elle qui a parlé d'il y a un an, de ce restaurant où on était allés et où on avait cru que ça y était un mois avant la date. L'époque où on prenait un pet pour une contraction.

On a parlé très longtemps de cette grossesse appliquée de première de classe. On a ri en se rappelant toutes nos niaiseries protectrices pour ne pas endommager la marchandise.

Au milieu d'un rire, elle s'est arrêtée brusquement, a fixé le rien un petit moment puis la tristesse, comme un éclairage qui baisse dans ses yeux. Elle a repris la conversation presque à voix basse : « C'est quand même dégueulasse. On était heureux, nous. »

Ça m'a tout pris pour ne rien ajouter.

Oui, Nathalie, on était heureux.

Rémission. Le ballon de l'espoir sur lequel tout le monde tape. La rémission de tous vos péchés. Tout à fait pertinent, assure Rémi, puisque l'Hôte Irrévérencieux et Vulgaire a beaucoup à négocier avec la culpabilité qui réclame confession et absolution. La contrition n'a pas encore effleuré sa pratique.

Rémission pour Rémi. — Hourra! Bravo! Vive l'Italie!

Jusqu'à quand?

Le minimum vital ayant fortement abaissé son seuil chez Rémi, un petit supplément de plaquettes lui fait l'effet d'une soudaine fortune. La Super loto qui vient de frapper.

Le pire, c'est qu'en profiter comme des fous n'est pas être dupe, c'est être vivant et compter sur son cash à l'instant où on joue.

Statistiquement, anyway, les bébés de neuf semaines ne meurent pas de rien du tout à l'aurore.

Alors, statistiquement, les rémissions peuvent bien s'appeler temporaires, on sacre notre camp en Italie, et le pape est mieux de nous bénir, cet enculé supposé représenter l'Autre avec sa majuscule et ses millions de minuscules qu'Il regarde de haut.

Elle a sonné, il était passé minuit.

Elle m'a dit qu'elle aimerait beaucoup revoir la photo.

Elle est restée devant de longues minutes. Elle a effleuré le rebondi de la joue.

Quand je suis revenu avec du café, elle n'avait pas bougé.

Je lui ai demandé si elle préférait du vin. Elle m'a demandé si je préférais aller me reposer.

On a bu du cognac avec le café. Elle s'est installée contre ma poitrine sur le sofa. Elle a pris ma main et l'a posée sur son ventre. Je l'ai caressé doucement. Après un long temps, elle a repris ma main et l'a embrassée là où les lignes sont les plus creuses. Elle m'a demandé si j'étais soûl.

« Un peu »

C'est elle qui m'a déshabillé, embrassé, embrasé.

C'était nous, enfin.

Je viens d'aller les reconduire à l'aéroport. J'ai le cœur gros comme un enfant abandonné.

Me suis acheté un fax pour rester en contact direct.

Rémi a promis : « One fax a day keeps the doctor away. »

J'ai beaucoup revu Raphaël. En ami. Enfin, pas vraiment. En je sais pas quoi, mais pas en amant. Je le redoute un peu, celui-là. J'ai mémoire (puisqu'elle me revient, j'en profite) d'une façon de chercher son plaisir au cœur du plaisir de l'autre qui dérange assez, merci. On va au cinéma, on se fait des dîners, on rit, on parle. Il pose beaucoup de questions. Bizarrement, au lieu de l'envoyer promener, je lui réponds. Il n'est pas curieux-mémère. Il écoute. Il parle aussi. Il a perdu sa première blonde, il y a quelques années : anévrisme. Elle avait mal à la tête à cinq heures en rentrant du ski, elle est allée s'étendre, elle était morte avant six heures. Avant qu'il ne s'inquiète. Il en est resté la bouche ouverte pendant trois mois. Il dit qu'on vit comme des andouilles jusqu'à ce qu'on rencontre sa première mort. Que c'est là qu'on perd vraiment sa virginité, qu'il n'y en a qu'une et que c'est celle-là. Après, on ne peut plus faire semblant de ne pas savoir. Après, la vraie nature de l'être humain se révèle. L'amour, la vie, ça se triche. La mort, faut une sérieuse prestance d'acteur. Pas pour rien que les Grecs ne faisaient jamais mourir personne en scène : si on voulait que le public suive, il fallait considérer que certains spectateurs avaient rencontré la mort, et donc qu'on ne pouvait pas la contrefaire sans risquer de briser la catharsis sur son élan ascendant.

Il m'a embrassée « pour me souhaiter de bonnes vacances ». Il m'a certainement embrassée pour les quinze jours à venir.

Pourquoi ai-je ensuite été chez Laurent ?

Est-ce que j'adore les problèmes ?

Pauvres de vous! Vous avez raté la première neige. Un gros cinq centimètres qui a bloqué le trafic pour trois heures. Tout le monde court après son garagiste pour aller faire poser ses pneus à neige. La routine, quoi.

Je suis sûr que mon fax marche très bien, que vous êtes morts de fatigue.

Si j'ai pas de fax demain, je mets la police après vous.

Manipulation grossière et trop transparente pour nous faire marcher. Non, on n'est pas fatigués. Fais quelque chose : va pelleter nos balcons, acheter des skis, un arbre de Noël ou un casse-tête, mais ne nous embête pas parce que tu t'ennuies.

Rome a ré-exhibé son soleil doré dès notre arrivée : il pleuvait depuis quinze jours, c'était le temps qu'on se montre la face. Les Italiens sont toute gratitude.

On se promène, on se soûle aux cappuccini (demandés dans la langue indigène, s.v.p.), on n'est pas des demi-portions. Et en plus, on a pris une seule chambre, nous — pas comme d'autres qu'on ne nommera pas et qui ont peur d'avoir l'air fif.

P.-S. : La dernière phrase a été écrite sans mon consentement. T'as l'air, mais tu ne chantes pas. Anyway, la lingerie de Nathalie est en train de me faire faire une conversion radicale. Es-tu vert ? Rémi.

Il pleut. J'ai fini mon casse-tête. Est-ce que je peux avoir mon biscuit? Les petits bonshommes de neige ont fondu. Les enfants boudent. Moi aussi.

Gros spécial du *T.V. Hebdo* avec toi en couverture, Nathalie. J'ai lu l'article: aussi bien que tu n'y sois pas, c'est cucul à l'os. Quand je pense que tu as probablement parlé avec le journaliste. Incroyable comme tu peux être mielleuse avec eux. Ou alors, c'est qu'ils te comprennent mal?

Ma mère a beaucoup aimé l'article.

Moi, ce serait plutôt la photo — il y a une petite échancrure (accidentelle!) dans ton chemisier qui fait rêver… je le note pour ce changement de vocation dont parle Rémi. Bye!

Je profite du fait que Nathalie est dans le bain pour te demander la discrétion concernant mon changement de vocation. Nous pensons encore pouvoir convaincre le pape de permettre le mariage des prêtres. Mon passé peut l'effaroucher.

Sommes-nous tes seuls jouets, Nathalie et moi? Il n'y a pas quelqu'un dans les environs pour te tenter à la désobéissance conjugale? Surtout que t'es divorcé.

Quel enfant sage tu fais, Laurent. Rome est peuplée de tous les dissidents possibles, à commencer par ceux qui aiment traîner. Nous ne visitons rien. On se contente de humer l'air et de s'enchanter des multiples versions d'ocre que le soleil brosse sur les vieilles pierres.

Quand le soleil d'automne descend, à trois heures quarante-trois exactement, le Tibre atteint un sommet de lyrisme qui rend la traversée du Ponte Garibaldi obligatoire pour tout poète en voie de développement (ce que nous sommes tous, non?).

La voilà qui sort du bain. Hou! toi qui craques pour l'échancrure du *T.V. Hebdo,* cette béance te ferait mal, tiens!

P.-S.: Bande de pornocrates! Louez-vous des films et laissez-moi à mon risotto. Ciao!

Il y a ma secrétaire qui a la grippe. Il y a Jules-Philippe qui s'est chicané avec Bobonne, il y a notre plus gros client qui a changé trois fois d'avis sur le plan de campagne proposé, et ce, en une seule fin de semaine. J'espère que je ne vous embête pas avec mes problèmes domestiques?

J'ai aussi deux très bons amis qui sont partis en Italie depuis neuf ans. Pas eu beaucoup de nouvelles… quelques fax, quoi. Il doit faire beau. Il *fait* beau, je vérifie tous les jours dans le journal. Si je ne le fais pas, ma mère s'en charge et m'en avise. Elle va probablement être présidente de ton premier fan club, Nathalie. Il n'y a pratiquement plus moyen de me faire demander si je vais bien : elle n'en a que pour toi. Chanceuse, va !

Tu diras après que je n'ai jamais rien fait pour toi : détourner les entreprises de protection de ta mère, quel exploit ! Les doigts dans le nez, encore : je n'ai eu qu'à choisir de faire la couverture des magazines qu'elle trouve à son salon de coiffure. Un bargain, vraiment ! Ta vie semble trépidante. Rémi et moi sommes ravis d'être à l'abri d'une telle tornade d'événements. Étant donné tes nombreuses sources d'information, nous éviterons désormais l'aspect météo dans nos rapports brefs, mais quotidiens (alors, tes fines remarques sur la fréquence des fax…).

Nous avons aujourd'hui *planifié* un déplacement et fait des réservations en conséquence. Nous sommes donc passablement épuisés. Rémi a réussi à m'entraîner dans une église pour un concert. Au moins Bach était-il un croyant authentique et non un affecté à la recherche des subventions divines. Je précise que ce concert suivait quand même la visite du Cimetière protestant, ce qui fait deux pèlerinages en un jour.

P.-S. : Ce que Nathalie ne dit pas, c'est qu'elle a supputé ensuite pendant une heure les mœurs sexuelles de deux jeunes prêtres — assez mignons merci — qui prenaient le café à une table voisine. Ils riaient candidement, les pauvres, ignorant toutes les cochonneries que leur a prêtées cette satanique à l'imaginaire corrompu. Nous allons sortir ce soir. Tu devrais en faire autant.

Votre soirée était-elle réussie ? J'ai suivi les conseils de Rémi, me suis couché à quatre heures, me suis relevé avec un solide mal de tête. Quelle joie, quand même, de sortir en ville, de discuter politique et faits de société avec de jeunes femmes de vingt-cinq ans qui louchent sur tes mains pour savoir si tu es marié.

Quelle ivresse que celle de raccompagner la plus drôle et de se faire dire, après un baiser, que le principe du « jamais le premier soir » tient toujours en cette fin de siècle sexuellement misérable et qui n'a jamais été aussi puritaine.

J'ai pris mon pied. Vraiment. Je vais me coucher tôt ce soir pour pouvoir recommencer demain.

Ah la la… quelle sortie! On t'envie, nous.

On s'est contentés d'un long souper avec des hors-d'œuvre de poissons variés et délicats, une petite pasta délirante suivie de veau pour moi, de saumon pour Rémi, le tout largement arrosé de vin. Ensuite, un peu de dolce dans un café hyperbruyant où ça draguait ferme. Perdent pas de temps, les Italiens : œil vif, mains vives, t'as d'affaire à surveiller autre chose que ta sacoche.

On a fini la soirée avec des « natives » qui essayaient de parler français pendant que je tordais mon italien et que Rémi les rendait tous mous d'admiration avec sa science.

P.-S. : Tout mous, ouais… les temps changent. Il fut un temps… Ne nous plaignons pas de l'effet puisque effet il y a. Tu es encore un enfant, Laurent : les filles regardent tes mains pour avoir une autre information que ton statut conjugal. Guess… si tu ne trouves pas, tu le dis, on va parfaire l'éducation que ta maman ne pouvait te dispenser.

P.-P.-S. : Pas d'accord : personnellement, je me fie sur la voix — plus c'est bas…

Vraiment? Les mains et la voix?

Comment voulez-vous que ma mère sache cela? Si vous quittez Rome, auriez-vous la gentillesse de me signifier vos nouveaux numéros de fax que je ne fasse pas circuler inutilement une prose aussi précieuse? Que je ne la soumette pas à des regards indiscrets non plus, bien sûr.

Vu trois films, cette semaine. Aussi plates les uns que les autres.

Quand vas-tu tourner un vrai film, Nathalie, qu'on ne se déplace pas pour rien.

Ma présence dans un film ne garantit absolument pas sa qualité, tu sais ce que je pense des scénaristes anyway.

Nous partons pour Turin, si tu veux tout savoir.

Et j'ai traîné Rémi à la Sixtine, et bien mal m'en prit parce qu'il m'y a tenue trois heures, cul sur du dur et tête renversée vers le plafond. Pourquoi ils n'organisent pas une mise en place qui nous éviterait de se donner un torticolis? D'accord, c'était un plafond, mais une fois qu'on a vu Charlton Heston dans le film, on le sait! Ils auraient pu le mettre à plat, non? Enfin, nous avons payé son tribut au tourisme obligatoire. Faut entendre le bruit dans cette salle qui fait écho au moindre murmure. Alors, les « honey isn't it fanTAStic? » vous arrachent des larmes. Les gardiens hurlent des « Chuuut! » toutes les dix minutes en claquant sèchement dans leurs mains (son répercuté et amélioré dans sa sévérité), ce qui a pour effet de glacer les nouveaux arrivants et d'indifférer totalement honey.

Les mœurs touristiques constituent un objet d'étude non dénué d'intérêt. Nous nous y employons, Rémi et moi, quand nous lâchons notre premier sujet (les hommes).

P.-S.: Ta mère est une nouille, rien qu'à voir comment tu fais de l'insécurité, il est clair qu'elle t'a arraché le sein trop tôt.

Torino, mon cœur, et après… Milano e la Scala. Capisci?

Montréal est un village — non, pas celui-là, Rémi. Je suis allé au théâtre hier et ensuite au resto : je suis tombé sur le beau Raphaël qui s'est informé de ton voyage en Italie, ma chère. Les nouvelles vont tellement vite. Nous avons discuté un peu alors qu'on piétinait dans le même motton à l'entrée du restaurant, à attendre une table. On a parlé de la pièce, de la mise en scène. Très sympathique, Raphaël, on était d'accord sur la pièce en plus. Tu le vois encore ?

Nathalie fait dire qu'on n'a pas été malades dans le train, qu'on a toutes nos valises, qu'on ne s'est pas fait voler nos travelers, qu'on n'a pas pris de substances liquides — chaudes ou froides — avec des inconnus et qu'on range toujours nos aspirines et nos Gravol à portée de la main. Elle y est même allée d'un petit couplet sur notre fonctionnement intestinal qui te sera épargné. Elle pense que c'est le genre d'informations qui va te faire venir (sic!).

Pour ce qui est de tes habiles manœuvres de jaloux, elle a eu un commentaire assez laconique : il était plus drôle quand je le trompais du temps de notre mariage.

Même pas fâchée ou irritée. Tannée.

Alors, puisqu'elle ne lira pas ce fax, permets-moi de te donner un truc : l'éloge dithyrambique du rival ou la question « blunt », c'est toujours plus intéressant que le coup de griffe du chaton bourré de lait. Tu as joué de façon indigne, Laurent. Et ça nous fait passer pour des Midgets, ce qui est bien impardonnable. Dans le domaine du cul, on a notre fierté, si tu vois ce que je veux dire.

En plus, il pleut à Turin et il y a une humidité à vous fouiller l'intérieur des os. Rien pour améliorer ton dossier, quoi! Allez, prise deux, on ne gardera pas la première.

Jules-Philippe et Simone m'ont organisé un blind-date. Comme les vrais amis qu'ils sont. Et comme ils sont eux-mêmes au bord du divorce, je crois que ça les réconforterait de m'unir à quelqu'un. Je ne pouvais pas refuser une douzième fois en ligne ce plaisir à mon associé — qui, soit dit en passant, couche depuis un an et demi avec ma secrétaire. Faut-il spécifier que la grippe de l'autre fois était un drame passionnel dû à la découverte du délit par la légitime, qui a sévi? Qu'est-ce qu'elle fit? Comportement crasse des non-initiées : elle a réclamé la totale vérité et l'amendement immédiat du coupable. Celui-ci a une sale gueule…

Eh bien, si la femme qu'on m'a présentée est ma réplique femelle idoine, je suis un homme fini.

En tout cas, d'un ennui et d'une bonne volonté à faire pitié. Les indulgences plénières qu'on gagne à seulement sourire à cette femme étaient écrites sur son front. Imaginez, l'embrasser ou pire (enfin mieux, selon celui qui parle)!

La soirée a été bien longue. Je ne donne pas six mois avant que Simone ne se fasse inviter elle-même à une soirée de la sorte.

Rien de tel pour apprécier sa solitude bénie.

Bel effort, Laurent! Je ne sais pas ce que Rémi t'a écrit, mais c'est ce qui s'appelle se reprendre en main. T'es bien au-dessus de tes affaires, toi, pour refuser des indulgences plénières si facilement gagnées? Tu sais qu'il y a des gens qui montent à genoux les marches de l'oratoire Saint-Joseph?

Turin est peut-être une belle ville, mais la régularité conjuguée des arcades et de la pluie me donne mal au cœur. Ne faxe plus ici, on sacre notre camp à Milan.

Oui, Laurent, oui, je sais. Nous avons choisi le plus gros lampion de la plus grosse église et on l'a *payé* et allumé à la mémoire des hypothétiques douze mois d'une petite fille qui a duré moins longtemps que ne brûlera ce lampion. Ou à peu près.

Tu peux dormir, je n'ai rien oublié et je ne suis pas décomposée.

Il fait de plus en plus froid — le moral tient le coup.

À propos de moral, je me suis légèrement accroché hier avec une bouteille de scotch.

À première vue, les signes vitaux sont intacts.

Quittez Turin, la pluie, l'ordre insupportable des arcades, parce qu'ici rien ne bouge sauf ce ciel lourd qui nous écrase et va nous faire la danse des flocons dans moins d'une heure. Tiens, non : il neige déjà.

On prévoit vingt centimètres.

Je ne suis pas jaloux, j'espère même qu'il fait soleil à Milan.

Je voyage avec un snob, un vrai. Il a été quasi dégoûté par une *Tosca* tout à fait honorable à mes oreilles néophytes.

Ça a l'air que ça faisait dur dans le deuxième acte, que la chanteuse hurlait au lieu de chanter et que, même avec ses faiblesses vocales, Callas avait plus de musicalité sans parler de la classe. Bon, bien sûr, Callas! Comment voulez-vous discuter?

Milan est une ville *hyper*: tout ici est méga-something. Il Duomo, les boutiques, la richesse. Mais le mieux, c'est le cimetière. Une merveille. À côté de ça, le Père Lachaise peut aller se rasseoir (elle est facile, je sais, mais j'ai épuisé toutes mes ressources avec le snob). Il s'appelle d'ailleurs le Monumental (pas le snob, le cimetière — finalement, le snob aussi), Cimitero Monumentale. Ils ont un peu de misère avec la simplicité, les Milanais, mais ils savent arranger leurs restes. (Je t'ai dit: Rémi m'a épuisée!)

P.-S.: J'ai chez moi trois *Tosca* qui vont lui ouvrir les oreilles. Je ne désespère pas de la former à autre chose que le vulgaire et le convenu.

Ce n'est pas soleil qu'il fait à Milan, c'est froid malgré le soleil. Et cette fille qui hante les cimetières, si beaux soient-ils… Elle choisit scrupuleusement ses plaisirs, comme tu vois. Et je ne peux même pas la taxer de morbidité: c'est splendide et ça fait rêver… à l'argent qu'il faut avoir pour faire un mort décent!

« *Quello che voi siete noi eravamo; quello che noi siamo voi sarete.* »

« Ce que vous êtes maintenant, nous l'avons été, ce que nous sommes maintenant, vous le serez. »

Qui se souvient de ça en mangeant ses céréales?

Je l'envoie à Rome parce que je suis sûr que vous y passerez. Ce n'est pas parce que j'ai trop de nouvelles à annoncer… Le malheur avec le fax, c'est qu'on peut relire ce qu'on a envoyé. Je prends donc acte de la vacuité de mes propos. (J'ose pas écrire autre chose!)

Nathalie, il y a ton agent qui « s'est vue dans l'obligation » de serrer ton horaire d'arrivée à cause des entrevues pour la série. Ça a l'air que les projections de presse ont été plus qu'appréciées, ils veulent tous te rencontrer, et elle ne veut pas leur dire non.

J'ai rangé votre courrier respectif, pelleté vos perrons de porte, jeté vos vieilles pintes de lait, et je serai probablement à l'aéroport demain.

Surpris, non?

Finalement, on sait pourquoi on a fait un voyage le jour où on en revient. C'est alors qu'on saisit ce qui nous y attendait et ce qu'on en espérait. Si on le faisait pour voir ce qui est décrit dans les livres, on se contenterait de les lire.

Je suis donc allée en Italie pour ce cimetière. Pour ce musée du souvenir, cet art sublime qui célèbre ceux qui ont été assez vivants pour laisser une trace. Toute petite, les tombes fraîches des cimetières me fascinaient : je savais que quelqu'un de non-défait, de non-rongé, de non-putréfié était encore là, dans un satin intact. Et ça me terrorisait. Et ça m'excitait, je voulais savoir qui c'était, pourquoi il était là.

À Milan, les monuments de pierre exprimaient le chagrin inaltérable, impérissable. Le chagrin qu'on espère provoquer, bien sûr, dans toute notre vanité.

Mais c'est à Rome que j'ai reçu la révélation que j'attendais. Il y avait cet ange affalé sur un tombeau, cet ange adulte, triste, abandonné au chagrin, ployant vainement vers le sol muet, cet ange qui proclamait que de ce rien qui sévit sous lui, quelque chose le déchire encore et le déchirera toujours. Cet ange de pierre accablé de douleur dont la main plaintive pendait vers le vide, dérisoire appel vers qui n'entendra plus, cet ange vivait et témoignait que rien ne se taisait ni ne se putréfiait qui avait été assez vivant pour persister à lacérer à jamais sa vie.

Est-ce cela, l'ange déchu ? Défait, oui. La déchéance totale consisterait à nier la force de l'ennemi qui nous a terrassés. De lui refuser sa médaille.

Le temps qu'on vit la peine, on vit.

Le temps qu'on la nie, on rit peut-être, mais on rit jaune en maudit.

Ce qui n'empêchera pas Rémi de revoir Montréal avec l'accablement de l'ange.

Il dort près de moi, dans l'avion qui nous ramène.

Ouais… disons qu'on a la vie un peu houleuse et que le champ de bataille ne désemplit pas longtemps.

Envoye, l'ennemi, nous sommes debout !

Le plus fou, c'est que ça m'a fait autant plaisir de revoir Rémi que Nathalie. Quand je pense combien j'avais discuté ferme quand Nathalie avait souhaité en faire le parrain d'Érica. Je ne peux même pas dire si c'est lui ou moi qui a changé. Peut-être les deux. Cette maladie a quand même des effets étranges, elle m'a rapproché de lui. Quand je pense que, souvent, elle isole, une rage folle me prend. Quelle sorte de pervers sommes-nous, si nous laissons nos malades seuls sous prétexte que la maladie n'est pas la bonne ? La peste bubonique. Accrochez vos clochettes, sortez vos crécelles, les imbéciles aveugles règnent.

Oui, j'ai trouvé Rémi amaigri et fatigué, même s'il est heureux.

Et Nathalie soucieuse de lui, la bouche pleine de sarcasmes, mais l'œil vif et la main secourable. Elle a acquis toute une technique : elle l'empêche de trébucher en lui saisissant le coude comme si elle venait de s'enfarger et risquait, elle, de se planter. Quelle actrice, quand même !

Elle est bien vite allée se coucher pour combattre le décalage avant de se livrer aux entrevues de demain.

Rémi et moi, on a bu le champagne.

Non, je n'avais rien espéré d'autre. Pourquoi ?

Je me suis calée dans la mousse de mon bain en espérant échapper aux multiples sujets plates que je pouvais nourrir. Ça a marché à moitié. Pour être brève et honnête, Montréal ne me tente pas : ni *Andromaque*, ni l'appartement, ni les examens de Rémi, ni la projection de la série pour l'équipe. Rien.

Où sont passées mes bonnes vieilles défenses ? J'ai dû perdre la main.

Demain après-midi, je vois ma petite merveille de Rachel.

Et après-demain, il y a Michel qui arrive. Je pense qu'il avait très envie de revenir faire la promotion. En fait, la promotion s'appelle Julie et elle arrive des Îles juste pour lui.

Il y a une chose de gagnée et de vraiment gagnée : on l'a fait, notre voyage. Molto grazie, l'Autre, vous nous avez épargné la visite des hôpitaux italiens spécialistes des soins de l'Horrible Invité Vicieux, hôpitaux dont je viens de jeter la liste exhaustive que j'avais méticuleusement traînée et cachée pendant quinze jours. Sachons être reconnaissants pour les petites victoires. Gloire à Dieu, l'Hypocrite qui sait mettre à genoux les plus fiers (je sais de quoi je parle).

Je vais aller me coucher, moi, Tu fermeras la lumière si T'es si bon que ça.

Rien ne se passe jamais comme on l'avait espéré (je ne parle pas de prévoir). Je nous voyais nous retrouver tous les trois pour un dîner (oui, j'en avais minutieusement établi le menu en regardant mes livres de recettes dans mon lit, le soir), placoter en paix et rire des souvenirs de voyage qu'on me raconterait avec détails.

Penses-tu ! Il y a l'acteur français qui est arrivé et qui campe pratiquement chez Rémi, il y a Nathalie qui est comme une queue de veau dans le temps des mouches et il y a moi, l'indispensable dont on se passerait, qui fait de la figuration dans les mondanités. Nathalie m'assure que je fais comme je veux, qu'elle n'a pas besoin d'une escorte. Pas fou, je sais bien que le beau Raphaël est toujours « amicalement » dans les parages et j'aime mieux le voir à l'œuvre que de l'imaginer parfaire son œuvre.

En plus, lui, il a des raisons d'y être. On a eu tous les épisodes en ligne et il est bon, il fait un bandit très menaçant, très séduisant. J'ai serré les dents pendant toute la scène de la plage : elle tremblait comme lors de nos plus belles nuits. J'en avais de l'urticaire de la voir l'embrasser.

Je ne vois pas pourquoi Rémi dit que je fais une fixation.

Ni pourquoi il prétend que ça ne marche jamais, les fixations.

Gros drame au studio 37 aujourd'hui : Rachel a perdu une dent
(« D'en avant ! » comme elle rajoute en hurlant), la nuit passée.

La voilà, bien sûr, défigurée. Et les larmes du drame n'arrangent rien.

Comme la diva qu'elle est, elle passe son temps à ramener ses
cheveux devant son visage pour camoufler l'abîme qui dépare
son sourire. Alors, rire, il n'en est plus question. Elle parle avec
la main qui volette contre sa bouche. Toute l'entrevue s'est passée sans qu'elle oublie qu'elle avait ce « manque » atroce au
milieu du visage. Elle a déjà cette conscience d'elle-même des
actrices les plus emmerdantes même si, quelquefois, ce sont les
plus fortes aussi.

Ça ne sera pas de la tarte quand l'acné va arriver !

Après l'émission, soulagée, détendue, elle m'a fait la fête.
Toutes les nouvelles en même temps. Elle a sauté de joie devant
ses cadeaux italiens — que des vanités-pour-snob-bien-habillée.
L'Italie ayant tendance à considérer les enfants comme des rois,
les vêtements pour enfants sont plus que somptueux, et ma
princesse sait reconnaître le beau. (On se demande comment
d'ailleurs à la vue de la jolie robe maternité cent pour cent poly-
ester de maman !) On était tellement ravies de se voir, de tout
se raconter, que le régisseur de l'émission suivante a dû venir
me chercher en panique, j'entrais en ondes et on m'attendait.

Rachel a trouvé très dommage que je n'aie pas porté le veston de velours noir sur chemisier blanc que j'avais préparé pour
cette entrevue. Une princesse !

Je ne sais même plus si c'est elle qui m'a demandé de la reconduire ou si je l'ai offert spontanément. Je ne sais même pas comment je me suis retrouvé dans son salon à siroter un armagnac. Je ne comprends pas du tout que j'aie fini la nuit dans son lit : je n'aurais pas pu dire son nom avant de sortir de chez elle et de vérifier ma vague impression sur sa boîte aux lettres ! Bon, j'exagère à peine.

Mais, vraiment, cette femme m'étonne. Elle était au party monstre qui a suivi la projection réservée à toute l'équipe de la série. Elle prétend m'avoir choisi depuis qu'elle m'a aperçu avec Nathalie à Québec et ensuite à Montréal. Elle est habilleuse… et elle sait déshabiller quelqu'un. Bon, elle ne m'a pas violé, c'était plutôt entraînant, pour ne pas dire carrément joyeux, mais.

L'impression d'un piège, d'une détermination qui m'échappe et me cible trop carrément.

À ce compte-là, je préfère les ruses d'une Rachel qui se dandine voluptueusement en dansant et qui te prend par la main dès qu'il y a un slow. C'est de Nathalie qu'elle est amoureuse : à la fête, elle ne cessait de la regarder tout le temps qu'elle dansait avec moi, pour être bien certaine qu'elle excitait sa jalousie. Rachel, c'est ma meilleure alliée.

Elle s'est endormie dans mes bras, d'un coup. Épuisée d'avoir déployé tout ce charme, sans doute. Comme Cendrillon, pour lui permettre d'assister à une partie de la fête, j'avais promis à sa mère de la ramener avant minuit. Elle était bien près de perdre sa pantoufle de vair quand j'ai déposé ma belle grande échasse chaude et molle et lourde dans les bras de son faux-père. Elle a contesté, a demandé tout ensommeillée si elle pouvait dormir dans mon cou. Son père a dit non à elle et merci à moi, et je me suis retrouvée les bras vides et traversée d'un frisson dans la voiture de Raphaël, qui avait offert de jouer le rôle du chauffeur.

Il commençait à neiger. Il n'était pas tard. Il y avait ce trou de fraîcheur dans mon cou parce que ma petite édentée dormait ailleurs.

Il a attendu que je fasse le premier geste, le traître.

Comme il est doué pour l'amour, cet homme. À croire qu'il est amoureux. Je n'ai même pas voulu y penser : on annonçait quinze centimètres de neige. Comment résister à la perspective de la voir tomber à deux, au chaud ?

Il est tombé vingt-trois centimètres.

Très jolie tempête.

Je n'en veux pas, moi, de cette fille ! Elle a beau être gentille, avenante, jolie même, ce n'est pas mon genre d'abuser d'une bonne volonté en sachant que ça ne mène nulle part. Et Rémi peut soupirer tant qu'il veut et me traiter de crétin fini, ça n'y changera rien.

C'est Nathalie que j'aime, et c'est avec elle que je veux revenir.

J'essaie seulement de passer le long temps que ça prend pour qu'elle me(?) se(?) pardonne la mort d'Érica et, d'une certaine façon, notre échec.

Rémi essaie de ne pas se moquer de moi et de faire semblant de comprendre mes positions stratégiques. Mais Rémi a toujours eu beaucoup de difficulté à résister aux plaisirs charnels. Même avec des nuls, il réussissait à tripper, c'est lui qui me l'a dit. Comment comprendrait-il que pour moi il n'y a que Nathalie ? Que l'odeur et la texture de peau des autres femmes n'entraîneront jamais l'ivresse que provoque celle de Nathalie. Toutes les autres n'en sont que le faible écho, bien mince, bien terne.

Incurable romantique ! qu'il dit. Je lui ai demandé s'il pouvait concevoir que je l'aime, elle et elle seule. Et à ce point.

« Tu es mon dauphin, mon cher. C'est la seule chose qui me console quand je pense que je vais disparaître : tu tiendras le flambeau « Nathalie » bien droit et bien haut, Laurent. Et ce n'est pas une mince consolation. »

Je déteste quand il parle comme ça. Surtout quand il rajoute qu'un peu de jouissance n'altérera pas la grandeur de mes sentiments, sauf s'ils ont des pieds d'argile.

Nous avons célébré les trente-huit ans de Rémi en privé, Michel et moi. Seulement tous les trois. Merveilleuse soirée. Laurent avait de la fièvre et le genre de microbes que le virus de Rémi accueille trop généreusement pour qu'on prenne le risque.

On a mis cartes sur table. Rémi s'est considéré le plus vieux, déclarant que l'âge qu'on a à sa mort est le seul à donner du sens aux anniversaires. Encore à se vanter de pouvoir « de son vivant » faire le bilan de sa jeunesse ancienne et de son âge maintenant très avancé, puisqu'il connaît son année de péremption.

Michel se marie. Les Îles iront vivre en France. Mais la France viendra aux Îles au moins cinq mois par année. Merci petite Julie.

Cette douceur d'être ensemble, de parler légèrement et cyniquement des choses graves et de donner une grande importance aux futilités de l'existence.

Nous étions fin soûls — trois degrés, selon Rémi qui est resté, lui, très sobre : fin soûl, raide soûl (degré de la parole qui dépasse la pensée et de la bite qui dépasse le jugement) et soûl mort (inutile d'épiloguer), le premier degré représentant à ses yeux l'élégance suprême puisque le fin soûl allie le plaisir, le raffinement et la légère dérive qui permet les digressions oiseuses mais pas niaiseuses —, fin soûls donc, et follement déterminés à épuiser cette inutile et longue conversation philosophique, de boudoir bien sûr, jusqu'aux aurores du premier jour de ses trente-huit ans.

L'ivresse des mots, de l'affection, du champagne, l'ivresse d'être ensemble, vivants, rescapés euphoriques des sales coups qui ne nous ont pas eus.

Elle me largue! Elle ne veut plus me voir. Elle s'en va. Elle me quitte. Je le savais, je le savais qu'on ne tiendrait pas le coup. Elle n'a aucune pitié, je n'ai eu aucune dignité. On est quittes.

Appelé Rémi, en larmes, pour me faire dire que je dramatisais, que je lui collais au cul et que, déjà, mes fax d'Italie étaient gluants de lamentables suppliques. Il a refusé de me confirmer que Raphaël avait repris du service. Je sais qu'il le sait. Je sais que ça fait malade en pas pour rire et je sais que Nathalie déteste ce genre d'aliénation obsédée. Je sais que je ne suis pas du tout le candidat qu'il faudrait et que j'ai tout fait croche.

Bon, j'admets, j'avoue, je me tais.

Quand est-ce qu'elle revient?

Pogné un trou. Creux de vague — je me suis retrouvée la bouche pleine de sable, le cœur amer à en vomir.

Ce qui est le plus dégueulasse, c'est la rage, ces montées de bile contre l'impuissance, genre d'éclats de fureur qui non seulement ne changent rien, mais laissent la combattante idiote et sonnée.

Dans ce temps-là, mon bébé ne me manque pas, je ne la vois même pas, je ne sens rien de triste ou de mélancolique. Je pars en guerre, je vitupère, je prends de la place et je bouscule tous ceux qui m'aiment et que je trouve stupides de m'aimer.

Y a que Rémi qui puisse arrêter mon ardeur belliqueuse, le seul à qui je permets un accès. (« Par chance qu'on ne sait pas de quoi demain sera fait avec moi, parce que tu me ferais piétiner ton paillasson comme les autres ! »)

Il me secoue, m'agonit de théories fumeuses sur la douleur déléguée et autres thérapies naturelles puisées à même les anciennes étapes obligées des médecines douces et violentes (il y a un petit cri primal pas piqué des vers qui m'a semblé tout sauf doux et lénifiant à l'époque). Bref, on s'entend au bout du compte sur le fait que Jeanne d'Arc est probablement partie après avoir eu une petite discussion avec ses impuissances et non pas avec Dieu.

Dormi serrée contre Rémi — il a maigri. Avant, son épaule ne me faisait pas mal à l'oreille.

En plus, je me suis payé une poussée de culpabilité rétrospective.

L'habilleuse, qui s'appelle Clara, m'a relancé. Elle me téléphone, m'offre des places aux premières, bref, elle me fait la cour. Première fois de ma vie qu'on se donne tant de mal pour moi.

« Fais-en profiter ton ego », suggère Rémi, qui n'aurait quant à lui aucun scrupule à profiter d'une occasion si allègrement offerte. Peur de me sentir obligé de l'aimer.

Rémi a beau me traiter de jésuite, je n'aime pas l'idée d'exploiter des sentiments sans les partager. Il a beaucoup ri de moi et de ma rigidité morale qui me met à l'abri de la rigidité de certaines parties de mon corps. Il est sûr que, quand j'avais douze ans, j'étais amoureux de ma maîtresse d'école. J'ai dit que non, que je n'étais pas si crétin que ça.

J'ai apparemment sauvé la face, mais j'ai menti : comme tous les crétins, j'étais amoureux de Mlle Hamel.

J'ai appelé Clara, juste pour être sûr qu'à l'occasion je déviais du mode d'emploi que j'ai d'accroché dans le dos.

Rémi est vraiment généreux : pour me sortir de mon abîme personnel, il a exhibé le sien. De toute évidence, sa cote est nettement plus performante. On veut lui faire d'autres examens, la routine, mais quand même. Faible comme il est, l'AZT et les autres drogues peuvent lui faire plus de mal que de bien. Le topo habituel, et les yeux de Rémi qui laissent passer la terreur entre deux gags de plus en plus acides.

Recours au plan de sauvetage B-14 : j'allume une flambée, je sors une couverture thermos, je m'installe dans le sofa après avoir mis *La Traviata* à la planche et je lui réclame ma thérapie personnelle, qui consiste à le prendre contre moi, à le recouvrir et à flatter doucement ce duvet qui lui sert de cheveux depuis la chimio. « L'envie de materner projetée sur son meilleur ami », que ça s'appelle.

Ça a marché.

Il y a cinq mois, c'était vraiment pour moi qu'on le faisait.

Demain, je commence à répéter *Andromaque*.

Demain, Rémi rentre à l'hôpital.

Qui parle de demain ?

Clara change beaucoup de choses : au lieu d'attendre Nathalie en trépignant, je fais preuve de patience, je suis moins insistant et mes questions n'ont plus cette « indécente précision », comme dit Rémi. Clara, avec son énergique bonne humeur, me force à faire autre chose. Et ce n'est pas désagréable avec elle. Elle n'a aucune jalousie. Je peux parler de Nathalie, d'Érica et du passé autant que je veux, et ce n'est pas comme avec Hélène où j'avais l'impression qu'elle jugeait Nathalie. (Bon, O.K., à l'époque, ça faisait mon affaire !)

Clara rit.

Clara n'a rien à voir avec la compassion muette et apitoyée.

Clara est une savoureuse.

Première lecture, trac, cœur qui bat, l'équipe au grand complet incluant le directeur artistique et les secrétaires (j'exagère pas). Raphaël, d'une discrétion de curé ayant péché au siècle passé, m'a embrassée sur la joue. Pieusement. Yves m'a regardée avec l'insistance d'un protecteur qui évalue ma vulnérabilité (j'haïs ça pour mourir), et tous les autres étaient aussi énervés que moi.

À chaque fois, je me dis que le rôle intéressant là-dedans, c'est Hermione, la délaissée enragée, et que je suis nulle d'avoir accepté Andromaque, la vertueuse mêlée. Déjà, au Conservatoire, j'en étais arrivée à cette conclusion. De toute façon, je suis trop vieille pour Hermione et Sylvie sera très bonne, elle possède cette dose de mépris glacé qui fait les bonnes tueuses.

Raphaël va nous éblouir, son Pyrrhus sortait plein d'autorité sensuelle, plein d'abandon et de contrôle à la fois. Le ton qu'il a eu pour expédier Hermione... très, très vilain.

J'ai donc réussi à ne pas être totalement obsédée par Rémi pendant deux heures. Sitôt la lecture terminée, j'ai refusé de faire prendre mes mesures, de discuter avec l'attachée de presse, de manger avec Yves et même de prendre un café avec Raphaël. J'ai sauté dans un taxi, et Rémi avait déjà trouvé le temps long.

Je ne m'habituerai jamais à le voir si pâle et si tranquille au fond d'un lit. Ce consentement poli m'angoisse. Il prétend que les murs vert pâle ont un énorme pouvoir hypnotique et que, étendu là-dedans, on perd toute velléité combative. Il m'a forcée à lui décrire ma matinée de travail et m'a ré-enlignée quand, d'inquiétude, j'avais manqué de mordant dans mon récit.

Ces petites secondes de silence entre deux monologues, ces petits abîmes où nos yeux se croisent et reconnaissent la terreur dans le regard de l'autre.

Pourquoi Nathalie ne m'a-t-elle pas prévenu avant ? Je pensais que le répondeur de Rémi voulait dire « sorti vivre » ! Pourquoi laisser Rémi à l'hôpital tout seul, alors que je peux prendre le relais quand Nathalie travaille ? Elle m'enrage quand elle se conduit comme une enfant possessive et jalouse. Lui ai fait une scène et elle m'a arrêté en plein milieu pour me dire qu'avec les microbes qu'elle percevait dans ma jolie voix de basse, il faudrait que je me stérilise avant de l'approcher. J'ai entendu son angoisse, ça m'a coupé le sifflet ben net.

Déguisé en employé de salle d'opération, j'ai pu faire rire Rémi.

Je le regardais draguer les infirmières, sortir son humour le plus flamboyant dès que le « préposé aux bénéficiaires » venait lui porter de l'eau, et je me disais qu'il s'épuisait pour rien. Rémi n'aime pas ce genre de pensées, même si on les garde pour soi. Il m'a indiqué que la fierté n'était pas consommable par l'Horrible Invalide à Vie, et que se faire la barbe pour crever tenait au moins les mains occupées.

La dignité du mourant et du mourir qu'ils appellent ça. Très à la mode, de ce temps-là. J'ai pris mon trou.

Yves trouve mon Andromaque un peu sèche. Il veut « complexifier » l'affaire et injecter du désir sous-jacent dans la brutalité du refus. Avec Euripide à l'appui, alors que Racine l'avait un peu loin, je pense, le coup du désir. Yves discute, argumente, essaie, recommence. Il adore ça, il baigne dans le bonheur. J'essaie de ne pas bâiller pendant le travail. Ma tête est avec Rémi qui me tuerait de ne pas l'enfouir dans le sable chaud du délire racinien.

Plus fort que moi, les débats intérieurs d'Andromaque me font chier. Voir si j'hésiterais à coucher avec une armée pour sauver mon fils ! Alors Pyrrhus… seulement Pyrrhus, pas si grave il me semble. Quelle nouille empotée ! Très difficile de la prendre en pitié avec ses j'y-vas-tu, j'y-vas-tu-pas. Yves s'emploie à me faire considérer tous les aspects du drame intérieur. Je crois que je m'ennuie. Et les vers et la scansion, quel bordel à dire !

Raphaël me fait des clins d'œil à la fin de nos scènes et il me laisse courir à l'hôpital en paix. Il ne cherche ni à me rassurer ni à m'attraper. Délicieuse paix. Précieux Raphaël qui n'a aucun abominable instinct de confesseur.

Si ça va trop mal, je l'appelle.

Je l'appellerai pas.

Rémi trépigne, s'impatiente, se morfond. Il fait comme si manger sa soupe claire à cinq heures et quart était le nœud de l'affaire. Il veut changer d'hôtel. Il perd même au scrabble.

Rencontré Michel et Julie à quelques reprises. Tout un acteur, celui-là. Il cabotine tout le temps, raconte ses anecdotes pour le personnel infirmier qui passe lui demander des autographes. Il signe et, dès qu'ils ont le dos tourné, il explique à Rémi que son confort sera assuré avec déférence dorénavant.

Nathalie, qui n'a jamais été foutue de respecter ses horaires, est rendue qu'elle établit des rondes de visites pas trop fatigantes, mais constantes. Les heures des repas ne sont jamais laissées vacantes. Tant qu'il mange, il prend des forces. Je regarde Rémi maigrir, et j'ai bien peur qu'elle n'ait tort.

Le médecin refuse de se prononcer. Rémi n'a pas ce qu'il faut pour lutter contre ses assaillants mais… il a vu tant de cas différents, tant de réactions possibles, tant de cadavres sortir d'entre les morts pour une autre danse…

Par chance que j'ai Clara. Je ne sais pas comment elle fait, Nathalie. Jamais vu une force pareille — Andromaque et Rémi, je ne pourrais pas.

Ils sont tous là avec leurs urgences! Vraiment, la première est le 15 janvier, ils peuvent pas prendre sur eux autres? Qu'ils soufflent par le nez, j'ai autre chose à faire.

Appelé mon agent pour libérer l'agenda. Il n'y a rien qui l'enrage plus que ces demandes tardives. Si elle croit que je vais me justifier en parlant de la santé de Rémi, elle se trompe. Ces gens qui s'inclinent vertueusement devant la mort imminente me puent au nez.

Rémi n'est pas mourant, il se refait des forces pour le mariage de Michel, prévu le 19 décembre. Il a l'intention de prendre un coup et il a le foie fragile.

J'ai trouvé un truc pour le faire manger : je lui fais préparer des mets par un traiteur qui les livre à cinq heures. Rémi appelle sa chambre la suite royale. Il dit à tout le monde que je suis sa femme. Les infirmières ont de ces regards!

Qu'ils viennent donc me dire qu'ils ne sont pas homophobes! Rémi fulmine : quand une maladie se jette avec délectation sur les fifs, c'est bien difficile de ne pas s'assimiler à l'ivraie à laquelle tout le monde s'empresse de penser. Ce genre de sélection pas naturelle de la maladie (mais qui adonne à tant de gens) vous fait des ravages intérieurs pires que le mal lui-même.

Je lui ai demandé de m'épouser.
Câlice, il a pleuré.

Au début, c'était un gag, mais elle a commencé des démarches. Elle veut le faire. Elle veut se marier avec Rémi, le même jour que Michel et Julie !

Je trouve ça morbide, indécent, pitoyable, malhonnête.

J'ai discuté des heures avec elle : rien à faire, elle est divorcée, elle peut se marier avec qui elle veut. Elle m'a gentiment invité à en faire autant avec Clara, le même jour, si le cœur m'en dit.

Elle est folle ! Je lui ai demandé de me donner une bonne raison. Une seule. Elle a souri sans rien dire.

Sait-elle que toute la presse va être là ? Que Michel est loin d'être un inconnu et que, même intime, son mariage va faire parler ? Que *Paris-Match* sera là et *Gala,* et les autres ? Qu'elle va, elle aussi, attirer les commentaires, que ce n'est pas rien de marier un sidéen, que les gens vont le voir ?

Ce n'est pas à moi que je pense, c'est à elle, c'est à Rémi, pourquoi tenter le sort, pourquoi risquer des commentaires disgracieux ? Ça va les blesser tous les deux. Rémi va avoir l'air de quoi ? Il a sida écrit sur le front ! Les gens sont tellement méchants, elle le sait, pourtant. Elle se contente de sourire et de dire qu'il s'agit d'un mariage d'amour. Rémi se moque de moi et veut savoir si ma mère va faire une syncope en lisant les journaux chez la coiffeuse. Il va mieux. Et c'est pas l'AZT, c'est l'amour.

Comme ça, la boucle serait bouclée, la maladie qui vient de l'amour serait guérie par l'amour. Rémi me trouverait débile d'écrire ça.

« Penses-tu que les gens vont penser qu'on couche ensemble ? »

Ma mère va le penser, Rémi, et elle va donner un gros deux ans à Nathalie.

Et elle ne sera pas la seule.

Rémi prétend que mon rôle me rentre dedans : que j'épouse Pyrrhus pour sauver mon enfant, mais que, dans ce cas-ci, le mari fera aussi office d'enfant. Grosse démonstration savante de mes avatars psychologiques et de ma tendance maniaque à projeter ma fille sur lui. Très savant, le Rémi. Il se donne bien du mal pour me décourager : ça doit faire longtemps qu'il avait envie de se marier avec moi. Toute la troupe est sur le cul : ils ne s'attendaient pas à venir aux noces. Mon agent est débordée, je refuse les entrevues concernant mon mariage. Yves m'a prise à part pour me mettre en garde : il y a des rémissions spectaculaires avec cette maladie, et je pourrais être mariée plus longtemps que je ne le pense.

Ce que j'apprécie surtout, c'est leur conviction que je suis d'une telle générosité.

Raphaël est venu m'attendre à la sortie de l'hôpital. Il m'a emmenée dîner. Il m'a parlé de moi, de ma prétendue force et de ma façon d'aimer qui transgresse selon lui les petites cavités calcifiées dans lesquelles la société normale, aimant normalement, donc fort peu, s'enferme.

C'est le seul à qui j'aie demandé s'il me trouvait folle. Probablement parce que je savais qu'il dirait non. Il m'a dit que, le soir de mes noces, il viendrait me faire l'amour. Que je pouvais le dire à Rémi si ça le soulageait d'une tâche trop lourde pour lui. Il m'a assuré que la tâche lui serait légère.

Il était vraiment sérieux. Comme je ne connais plus le mot *demain,* je l'ai emmené chez moi pour nos noces immédiates. Il m'a tenue face à lui, il m'a dit qu'il m'aimait et que, si je ne reconnaissais pas au moins ce fait-là, il partirait sur-le-champ.

C'est moi qui ai pleuré.

C'est fou comme la faiblesse de Rémi déteint sur moi.

Ils vont le faire! Pour vrai. Rémi voit bien que je ne comprends pas. Il a eu pitié, je pense, il a essayé de m'expliquer que le mariage sert à dire à la société qu'on s'aime, que ce n'est pas qu'une secrète vengeance pour toutes les amours qu'il n'a pas pu clamer à son goût et qui le tuent. C'est aussi sincère que mon amour pour Nathalie. Il est juste moins accro sur le cul.

Je lui ai quand même demandé s'il pensait à elle, là-dedans. « Arrête de te faire accroire que ce mariage va détruire ta belle. C'est ma mort qui va cogner. Et ce jour-là, tu seras là parce que, malgré tout, tu es toujours son mari et on le sait tous les trois. »

Demain, je le sors de l'hôpital.

Il pense aller magasiner son habit de noces avec moi après-demain.

J'ai dit au bureau que je m'absentais pour quelques jours.

Je ne sais pas à qui ça sert, si ça sert, mais c'est Rémi, et je peux peut-être admettre que ce n'est pas rien pour moi.

On a réussi à arrêter le roller coaster de l'Horrible Invité à Vie sur un sommet, mais c'est ben toute. Pour le reste, c'est la totale pagaille : les répétitions, on n'en parle pas, je refuse toutes les émotions qui ne sont pas de la colère — alors, mes déclarations d'amour posthumes à Hector font plutôt « qu'est-ce qui lui a pris d'aller se faire tuer, celui-là ? ». Pas tout à fait l'attente du metteur en scène.

Crise chez Rachel dont la gentille maman refuse, elle, de l'autoriser à venir à mon mariage sous prétexte qu'elle n'a pas fini l'école. (La vérité étant qu'elle a peur que Rachel attrape le sida en m'embrassant. Toutoune, va !) Je n'ose penser à ce qu'elle a dit en lisant son *Échos Vedettes*. Aux dernières nouvelles, elle n'a pas fait de fausse couche.

Rachel est inconsolable. Je lui ai expliqué que c'était à la mairie, pas à l'église ni en blanc poupoune comme pour sa maman. Sa déception n'était pas moins grande, elle n'est plus un bébé-lala qui trippe sur la dentelle. Petite amour de Rachel.

La petite frappe de stainless-steal a rappliqué dare-dare, alléchée par un profit potentiel. Je me suis fait du bien en l'évinçant de *mon* territoire. La pauvre plotte est en train de développer une infection et il cherchait des bras pour le bercer : ceux de Rémi tiennent à peine ses boutons de manchettes, et les miens — qu'il se compte chançeux — sont pris.

Le médecin était étonné de voir arriver la future épousée accompagnée de son ex, mais j'ai toujours prétendu que deux paires d'oreilles évitaient de s'enliser dans la confusion ou de partir en peur. Il nous a parlé deux heures des jolis plaisirs à venir et des issues possibles, d'ailleurs inutile de les mettre au pluriel. Poliment, il a précisé des choses essentielles à savoir avant de convoler. Le pronostic est aussi gai que Rémi, le cancer a repris son œuvre et ce monsieur au regard franc et limpide ne peut même pas assurer un printemps aux tourtereaux.

On l'invite au mariage.

Nathalie a pris ma main et elle ne l'a pas lâchée avant qu'on soit chez elle, dans son salon.

On s'est fait des promesses, des serments.

J'ai même voulu m'excuser d'avoir contesté, rouspété.

Elle m'a remis à ma place de jaloux et m'a donné comme pénitence de venir aux noces avec Clara.

Il y a un an, cette femme berçait notre fille et on préparait Noël avec faste.

Il y a un an, le bonheur était tellement intense que ça nous rendait asociaux.

Elle a remis sa main dans la mienne avant de dire que le 15 janvier, elle avait une première, le 17 un anniversaire, et que le 19 janvier elle voulait célébrer son premier mois de mariage. Que c'était le deal qu'elle avait passé avec le diable qui arrange les malheurs et fait de la dentelle avec l'espoir des gens.

Elle me tue.

Rachel voulait absolument voir une répétition. « Une avec Raphaël. » Elle s'est sagement assise, a tout écouté, tout suivi avec sa passion habituelle. Aucune impatience chez cette future actrice, malgré les alexandrins qui font pourtant décrocher de plus vieux qu'elle. Je crois que je me suis forcée en son honneur. On a même détecté un chouïa d'émotion dans mon Andromaque. Yves a invité Rachel à revenir.

On est allés discuter du coup avec Raphaël au restaurant. La petite belette nous regardait et je voyais bien que ça clochait quelque part. Finalement, elle a dit que ce n'était pas avec Raphaël que je me mariais. Affirmatif.

Pas avec Laurent non plus, puisqu'il avait déjà été mon mari. Affirmatif.

Alors, elle a dit que sa mère « parlait que je me mariais avec un malade ». Le problème pour Rachel était de savoir si j'aimais un malade qui allait me rendre malade. J'ai promis que mon mari ne me ferait aucun mal.

Ça a pris tout son plat de frites avant qu'elle ne conclue : « Mais ton mari, y va mourir ? »

J'ai dit oui parce qu'il y a quand même un certain respect qu'on doit aux enfants de ce calibre.

Je crois qu'elle m'a été fort reconnaissante de ma franchise, parce qu'en nous laissant elle a dit que, quand il serait mort, ce mari-là, elle serait assez grande pour décider toute seule de venir à mon mariage avec Raphaël.

Et toc !

Clara est jalouse. Alors que rien au début ne laissait présager cela, elle est jalouse. Elle dit que, si je la trompe une seule fois avec Nathalie, elle veut non seulement le savoir, mais elle me prévient qu'elle ne le supportera pas. Une belle chicane où toutes les autres femmes n'ont aucune importance, sauf mon ex.

Je peux comprendre qu'elle se sente exclue du problème de Rémi et qu'elle soit presque envieuse de notre entente, à Nathalie et à moi. Mais Rémi a besoin de nous et nous avons envie d'y être ensemble.

Non, nous avons besoin d'y être ensemble. Nous avons des arriérés avec la mort et le deuil, Clara ne peut peut-être pas saisir tout ça, je le comprends seulement en l'écrivant, mais on a été jetés dehors de la vie avec la mort d'Érica, jetés dehors du moindre chagrin tellement c'était brutal, énorme et inacceptable. Rémi nous permet enfin de faire face ensemble.

Si j'explique ça à Clara, elle va partir avant que je finisse ma phrase. Elle jugerait cela pire que de coucher avec Nathalie.

Il faut qu'elle m'accompagne au mariage, j'ai promis à Rémi de ne pas faire pitié.

Alors, lâchement, parce que je ne peux pas expliquer que ce qu'on vit maintenant est plus important que sept ans de mariage plus un an de deuil, parce que Nathalie sera toujours un inexplicable et brûlant mystère amoureux pour moi, j'ai promis de ne pas la toucher. Comme Rémi, en fait.

Pauvre Nathalie! La mariée pourrait être en blanc.

Premier enchaînement de la pièce. Ça a quand même de la force, les vers. Je contrôle très mal certaines émotions, alors je les exclus. Yves veut me tuer. Pyrrhus, au regard brûlant, Pyrrhus me ferait bien craquer.

J'ai écouté toute la fin de la pièce, où je ne suis pas en scène, assise par terre en coulisses ; tout ce saccage, tout ce carnage, pas un qui ne soit épargné par la destruction et la malédiction. Ils appellent ça l'amour. Combien de fois dans une vie on confond orgueil et amour ?

On est des warriors, des violents, des incapables d'abandon et on prétend vouloir aimer.

Seulement, aimer, c'est perdre la bataille.

Aimer, c'est poser les armes pour étreindre.

> et ne pas les reprendre quand ce qu'on étreignait
> s'enfuit, se liquéfie, disparaît dans le jardin glacé
> des anges pétrifiés.

Le mariage a au moins l'avantage de mettre une sourdine sur Noël. Grâce à cette activité fébrile, je peux ne pas revenir en arrière, ne pas refaire le puzzle du premier Noël d'Érica. Ma mère est outrée que je ne sois pas à son réveillon et que je me présente au mariage « honteux » de Nathalie. Depuis quand l'ex sert-il de témoin au nouveau marié? (Et si je pleure aux funérailles de son nouveau mari, ce sera de joie, à son avis?)

Il y a des jours où l'humour meurtrier de Nathalie et Rémi me manque cruellement.

Rémi dort beaucoup, mais j'ai l'impression qu'on a stabilisé son état. Le mariage est à treize heures. — « Comme ça, à cinq heures, je pourrai être rentré et couché. »

Michel et Julie se marient à l'église après. Elle a vingt-cinq ans de moins que lui, mais ça, ma mère n'en parle pas.

Je me demande si c'est le fait que Rémi soit homosexuel ou mourant qui dérange?

C'est pareil, qu'il dirait, Rémi, pour ta mère, c'est pareil.

On ne devrait jamais laisser les futures mariées seules la nuit précédant leurs noces. Elles pensent trop.

Ça vient de me frapper : Andromaque aussi va épouser un homme qui meurt. Sauf qu'elle est trop nouille pour le voir. Ou trop héroïne dans l'âme pour penser que quelqu'un d'autre qu'elle va mourir.

J'ai fait le tour de mon appartement et je me suis demandé qui j'étais devenue. La mort qui passe, qui dépose ses œufs de violence et qui attend patiemment qu'on les couve et qu'ils éclosent. Et nous détruisent. La mort s'invente des alibis comme ça. Que suis-je devenue ? Un abri à caviar de mort ? *Quel chagrin me dévore ?* Ça, c'est à Hermione, pas Andromaque — mais c'est pareil — tous le même personnage qui s'oblige à défier et à vaincre l'ennemi numéro un.

L'appartement est si tranquille. Il neige mollement sur la ville, sur le cimetière là-bas où le seul enfant que j'aurai jamais ne dort même plus. Est-ce pour confirmer ma stérilité que j'épouse un mourant ?

Ça au moins, je sais : Rémi est vivant, sursis ou pas, il est vivant. Et je m'éloigne d'Hermione parce que je sais *qui j'aime et qui je hais.*

Et le miracle de pouvoir aimer malgré la malédiction doit être le legs de l'ange. (Tiens : au son, cela fait le lait de l'ange !) Il y a des femmes qui ne sauront jamais le regard d'un enfant qui tète et s'abandonne, qui ne sauront jamais la force furieuse que possèdent alors les bras qui le tiennent.

Il faut bien que cette force inutilisée serve à autre chose qu'à détruire.

Viens Rémi, viens mon amour, viens dans mes bras.

Rémi voulait que ce soit une surprise, il m'avait remis les plans à l'hôpital. Bien faits, comme toujours, précis et pensés pour être exécutés facilement. La chambre de Nathalie, contiguë à la sienne, en transformant son ancien bureau. À qui pouvait-il demander de faire cela, si ce n'était à l'ex?

Nous avons travaillé en secret, il a interdit le bureau à Nathalie qui, de toute façon, répète tout le temps et, ce soir, nous avons terminé.

Une chambre blanche, virginale et monacale. Avec une porte pour aller chez Rémi.

La table à dessin, les classeurs, tout est maintenant à la cave. J'imagine l'étape pour Rémi, ranger à la cave tous ses décors de théâtre sur papier, toutes ses créations. « Ce n'est pas ma femme qui me fait abandonner mon métier, c'est ma mort. » On a laissé tous les livres d'art. Fabuleuse bibliothèque qui contient ce que le génie humain a fait de mieux. Il m'a demandé d'acheter un grand lit et des draps neufs, des draps vierges pour elle. Il sait qu'elle ne couchera pas toujours là, mais il voulait qu'elle ait *son* espace à elle dans sa vie à lui.

Demain, j'irai acheter des roses blanches, que des blanches, ordre formel. Mariage blanc — roses blanches. Il en veut partout dans l'appartement. Et une seule dans sa chambre à lui.

Quand il a fait le tour de la chambre, flatté l'oreiller, regardé l'harmonie qui se dégageait de l'endroit, il m'a pris par les épaules et a murmuré : « On l'aime pas, han, nous deux? »

Il tremblait. Moi aussi. Fou comme pour une fois la cérémonie n'était pas une mascarade pour clowns débutants. On s'est dit oui devant les hommes seulement, puisque Dieu, on l'a envoyé chier depuis ses infidélités.

Son frère était là avec sa dame, le bec pincé, mais incapable de résister à la tentation d'observer toutes ces vedettes venues se faire photographier avec lui.

Les amis, les vrais, étaient émus. Michel, qui s'est mis à pleurer en nous voyant faire ce qu'il allait répéter deux minutes après.

Laurent, si grave, si beau, Laurent aux yeux pleins d'eau, à la bouche qui tremble, qui m'a fait ce oui de la tête pour se remarier secrètement.

Raphaël, tout seul, très chic, fleur à la boutonnière, Raphaël, le regard confiant qui a haussé un sourcil et a eu l'air bien moqueur en demandant la permission d'embrasser la mariée. « Ma mariée », a-t-il chuchoté en s'approchant.

Dieu, qu'il y avait du monde à se marier aujourd'hui !

Une des plus belles fêtes auxquelles j'aie assisté de ma vie. On a ri, on a dansé, on s'est fait des discours incroyables, des serments infinis, on s'est soûlés. Moi, en tout cas, je me suis soûlé. Ben raide. Clara m'a raconté la fin de la soirée. Je me souvenais avoir dit bonsoir, bonne nuit à Rémi et Nathalie et après… rien. Clara m'a ramené à mon corps défendant, semble-t-il, puisque j'insistais pour aller prendre un dernier verre de champagne chez Rémi. Ça a l'air que je trouvais tout le monde ben mémère d'aller se coucher si tôt. Il était six heures du matin.

Pas sûr que ce soit le plus joli souvenir de Clara, cette soirée.

De toute façon, je pense qu'il n'y avait rien à faire pour qu'elle s'amuse.

Nous avons débouché le champagne et j'ai tenu à déshabiller moi-même mon mari qui avait des pudeurs de jeune vierge — « pudeurs d'épave, tu veux dire ». Rémi a un problème avec tout ce qui fane et s'affadit — « Imagine l'emmerdeur que j'aurais été en vieillissant : vieille pédale qui veut encore un corps d'Adonis ! »

On s'est installés dans son lit pour écouter la *Tosca* et siroter nos bulles. Il m'a offert un cadeau de noces.

Le dessin au graphite représente l'ange. Celui qui m'avait tant fascinée à Rome, celui du Cimetière protestant. L'ange accablé, anéanti de chagrin, ployé sur le tombeau. L'ange qui ne volera plus jamais.

« L'ange au jardin des Oliviers », qu'il l'a appelé.

Il l'a fait de mémoire, mais, ce jardin-là, il connaît. Ça faisait plus d'un an qu'il n'avait pas dessiné. La panne. Sorte de silence que trimballe la mort annoncée et que le désir de me surprendre a brisé. Alors, évidemment, il en a profité pour me remercier.

Quand Raphaël a sonné, Rémi m'a dit qu'il préférait rencontrer mon back-up au petit déjeuner pour ne pas l'intimider.

On a parlé longuement, Raphaël et moi, avant d'aller dans la chambre inondée de roses blanches, la chambre que mon mari endormi avait préparée pour mes noces.

Je n'ai pas le cœur à Noël. Je n'ai même pas le cœur à l'amour.

Clara ne comprend pas mes absences d'enthousiasme. Ou plutôt, elle les met sur le compte d'une jalousie tardive.

Elle ne sait pas combien je m'y connais en jalousie.

Tout ce que j'ai aimé, j'ai voulu le posséder. Et croire que je pouvais le posséder.

Tout ce que j'ai aimé, je l'ai perdu. L'espace d'un claquement de doigts.

Rémi est le premier être humain que j'apprends à aimer en sachant que je vais le perdre. Être abandonné de lui. Laissé seul dans une vie sans lui, sans ses rires, son humour.

Cette peur atroce, incontrôlable, qu'il meure le 17 janvier, que cette date soit maudite à jamais. Comme si ce n'était déjà fait.

Il y a deux choses que je ne supporterai plus jamais : le 17 janvier et les bassinettes vides de bébé.

Même les dépliants publicitaires qui exhibent des lits de bébé vides me flanquent la frousse.

J'adore la chaleur du foyer conjugal. Rémi reprend des forces doucement. Il sort une demi-heure et rentre à peine essoufflé. Nous avons organisé ensemble ce dîner pour Michel et Julie qui partent se marier encore à Paris, pour la famille de Michel. Son autre fils sera là : il a huit ans de moins que Julie, et ça le fait rire, le vieux prostatique libidineux, comme l'appelle Rémi.

Clara a fait la gueule. Je suis sûre que Laurent excite sa jalousie. Pour une fois qu'il s'en fout, il ne peut s'empêcher de la titiller chez l'autre. Cet instinct de disséqueur de grenouilles, qu'il a !

Rémi est si tendre, si heureux ! On dirait que le mariage l'autorise à me montrer (ou à montrer aux autres) son attachement infini. Je surprends quelquefois son regard posé sur moi : la confiance totale, abandonnée, d'un ange enfui traverse le salon et m'envahit. Qu'est-ce qu'on sait de tout l'amour qui peut unir un homme et une femme si on n'est jamais allé jusque-là ? Jusqu'à la moelle de l'amour, faite de beaucoup mieux et plus que l'enveloppe parfumée de la sexualité.

Et dieu sait que je n'ai jamais dédaigné certains parfums !

Elle m'a donné rendez-vous à son appartement. Nathalie a le flair pour ce genre de choses. Elle savait que j'avais besoin de la voir, elle.

Je voulais lui demander des nouvelles, je pense que je me suis imaginé que je voulais qu'elle me parle de ses répétitions, de Rémi.

On s'est retrouvés dans le fond de son lit à manger de la pizza et à parler de mes problèmes avec Clara. Elle avait les pieds glacés, comme toujours, et je les massais pendant qu'elle m'expliquait que j'avais peur. Peur de perdre. Rémi, elle, notre complicité à tous trois et même notre fille. Peur de repasser par les mêmes chagrins.

C'est vrai, maintenant qu'elle vit avec Rémi, ils ont beaucoup moins besoin de moi, l'un comme l'autre. Ils se donnent ce qu'ils me donnaient.

Jaloux. Nathalie a raison, le comptable en moi ne s'endort jamais.

Elle m'a répété doucement, en repoussant les boîtes de pizza, les napkins, les gros bas de laine, elle m'a murmuré, elle m'a crié qu'il n'y avait aucune raison d'avoir peur du bonheur, parce qu'il est nomade et que la peur est sédentaire.

J'ai raté le côté théorique de la démonstration.

Partir, même pour trois jours, même pour trois heures, c'est notre leitmotiv, à Rémi et à moi.

J'ai chauffé le carrosse, j'ai fait nos bagages et on a quitté nos appartements pour un quatre jours de luxe à Hovey Manor. Chambre avec cheminée, deux grands lits, repas gourmets — pourquoi se priver?

Rémi me fait revoir mon texte en m'offrant bien sûr de généreuses indications pour l'interprétation. On sort marcher comme deux petits vieux fraîchement remis d'un infarctus et on se prépare le prochain en se bourrant de cholestérol à la salle à manger. Le bonheur.

Passé la nuit de Noël à se conter nos baises, comme deux AA se content leurs anciennes brosses. Rémi prétend qu'une belle gueule et un humour mordant sont des atouts majeurs dans la game de la séduction. Il avait les deux. Il a fait céder ce qu'il voulait — straight ou gai, homme ou femme, célèbre ou inconnu —, s'est offert toutes les victoires en croyant qu'il triomphait, alors qu'il courait comme un dératé en arrière de lui-même. Il dit qu'il s'est rattrapé il n'y a pas longtemps.

Nous avons ri, nous avons déliré, nous avons fait des niaiseries, bref, nous sommes revenus, prêts à enterrer l'année sans regrets.

Si Clara savait que ce départ-éclair-dernière-heure pour le soleil est un conseil de Nathalie, si elle savait que ma virilité retrouvée est une idiosyncrasie étrange déclenchée par le fait d'avoir commis l'impardonnable infidélité, elle me tuerait!

Peu importe, elle est heureuse et moi aussi. Sans toujours craindre que ça fonde au soleil, que ça s'effouère. Sans regrets stériles.

J'ai négocié avec son faux-père, c'est plus facile. J'ai prétexté ne pas vouloir la déranger « dans son état ». Permission accordée! Rachel et moi sommes allées patiner et nous empiffrer ensuite dans un salon de thé.

Pas contente de la fin de la grossesse, Rachel. Elle trouve que les plaisirs espérés se font attendre.

Elle n'est pas toujours sage à l'école parce qu'elle « trouve ça trop long, je m'agite et ça a des conséquences ».

Des conséquences? « Ben oui! Des punissements. On dit: ça va avoir des conséquences. »

Et elle le dit en fronçant les sourcils, très menaçante.

Elle m'a demandé si j'avais eu beaucoup de cadeaux de Noël en m'expliquant qu'elle, elle avait presque eu tout ce qu'elle demandait.

Presque? « Y a le bébé, là, qui est pas arrivé. »

On a beaucoup discuté de la place qu'on a dans l'affection de quelqu'un, même si on ne le voit pas toujours, même si on se marie, même si on a un nouveau bébé tout neuf bien mieux que la vieille petite fille de huit ans.

On s'est beaucoup rassurées toutes les deux.

Sa mère m'a poliment demandé si mon mari allait bien. La perfide. La vilaine qui envie encore quelque chose avec sa bedaine pleine et sa Rachel par la main. Hou! la pas fine! Heureux, les imbéciles, car ils verront Dieu. Ils le méritent, tiens!

Rémi a essayé de me confesser. Il doit être jaloux de mon bronzage. Ça m'a ramené au temps où Nathalie tournait en extérieurs et qu'on était tous les deux. Seulement six mois, et j'ai l'impression qu'un siècle a passé. Il faudrait que je me relise pour voir le chemin parcouru. Rémi dit que c'est inutile : je n'avais qu'une chose en tête, qu'une seule et constante obsession : Nathalie.

Je vais beaucoup mieux : parmi mes obsessions constantes, il y a celle de cacher aux autres que Nathalie est toujours ma seule et constante obsession.

« Ta façon de nier que le passé est passé te gâche pas mal ton indicatif présent, ma poule. »

Il sait que je n'aime pas quand il m'appelle ma poule.

Je voulais organiser une expo des fusains de Rémi. Essayer de convaincre un directeur de la monter dans le foyer du théâtre. Quelque chose de simple, pas une expo à vous user les forces, un plaisir, un petit velours, quoi.

Rémi m'a simplement demandé quand est-ce qu'on publiait ce journal tant qu'à être partis.

Il m'a eue.

Il a ajouté avant que je ne le demande pas : « Non, je ne l'ai pas lu. »

Je lui ai tendu les deux cahiers en l'invitant à lire, prétendant que ça ne me dérangeait pas.

Il a vu combien j'étais furieuse. J'étais furieuse d'avoir voulu rendre publics ses pauvres efforts pour rester dans la vie et non entrer dans la mort, furieuse d'avoir pensé que ce serait réconfortant pour lui de passer de la scène, où il régnait en maître il y a un an, au foyer où les spectateurs placotent et tuent le temps.

J'avais honte de m'être trompée à ce point. Plus tard, il est venu me chercher dans ma chambre. « J'ai de l'avance sur toi, Nathalie. Quand ta fille est morte, j'avais déjà senti la mort passer deux fois. Et ça faisait des années que je la regardais venir. Tu ne m'as donc pas blessé autant que je viens de le faire. »

Je ne suis pas sûre qu'on était quittes — j'ai fait comme si.

Parce que, malgré tout, on n'en parle jamais de la Maudite — on la pousse, on se bat, mais on n'en parle pas.

J'ai fait une erreur. Une grosse erreur. J'ai emmené Clara au dîner des Rois que ma mère a organisé pour célébrer ce que je refusais de célébrer.

Le regard! Le jugement sec et à peine déguisé sur tout ce qui donnait à Clara le statut d'amie, d'amante et d'épouse potentielle. Elle lui a littéralement dit que Nathalie est et sera toujours ma femme, sa belle-fille. Que, quand elle aimait, elle, c'était pour longtemps et que, jusqu'à maintenant, aucun de ses enfants n'avait divorcé. On est trois!

La sauce aux atacas répudiée par Clara, le fait qu'elle ne reprenne ni dinde ni farce, ses chaussures sport (sûr, qu'il fait froid! mais pas dans mon salon quand même?), son vernis foncé (c'est à la mode, vraiment! on se demande à quoi ils pensent!), tout a été fermement et ouvertement jugé et condamné.

Quand ma mère m'a demandé si j'allais à la première d'*Andromaque,* Clara a eu un malaise et on a dû partir.

Ma mère n'a pas le tour pour cacher ses sentiments.

Je pense qu'elle n'y tenait pas vraiment.

Yves s'énerve beaucoup : ses pages de notes s'allongent à mesure que les dates se rapprochent. Il doute de tout, nous trouve au-dessous de tout, même nos ourlets gondolent ! Si on peut arriver à la première, on va se faire descendre, et c'est tout. On va pouvoir jouer en paix, après.

Je sais que mon Andromaque a encore un bon fond de contrôle. S'il me le dit une autre fois, je perds ce contrôle pour l'attaquer, le mordre et le griffer.

Rémi est dans une bonne période. Il fait tout pour engraisser avant de se taper une autre série de traitements de chimio. On a décidé que ce serait après le 19 janvier, on veut célébrer notre anniversaire en paix.

Cette chimio, je ne suis pas sûre qu'il ne la fasse pas pour moi.

Il va encore falloir que je précise que ce n'est pas mon cas qu'on soigne.

Il va encore avoir ce regard moqueur du gars qui n'en pense pas moins.

Oups ! Erreur du pitcheur : il a seulement dit que mon acharnement à lui enlever ses raisons de vivre frisait le sadisme et que divorcer serait plus simple que mourir, pour lui.

Nathalie a donc fermé sa gueule et réfléchi.

Alors là, vraiment, elle exagère ! Elle est allée voir Rémi. Toute seule. Chez lui. Clara a fait ça. Pas pour lui, non. Pour lui parler de moi, de nous, comme a ajouté Rémi. Pour savoir quoi faire, parce qu'elle sent son poisson lui glisser des mains. Elle a dérangé Rémi ! Elle l'a envahi pour se prendre une place dans notre groupe.

J'étais trop fâché pour parler. Rémi en a profité pour rire de moi et y aller d'une hypothèse sur les qualités de diplomate de ma mère. Il a ajouté qu'il n'a pas voulu admettre et qu'il n'avouerait jamais, surtout pas à Clara et cela même sous la menace, qu'il aimait bien ma mère et que je couchais toujours avec Nathalie.

Le maudit : il sait ça ! Et ce n'est pas Nathalie qui le lui a dit. J'en suis sûr. J'ai ri parce que j'aime qu'il le sache — j'aime cette complicité qu'on a approfondie jusqu'à nos secrets intimes.

Rémi trouve que je devrais comprendre Clara, moi qui, à l'époque, étais si jaloux de lui. « Imagine Clara, elle fait face à notre sainte trinité ! Dur à battre. Dur à briser. »

J'ai pas pu m'empêcher d'éprouver un sentiment de fierté absurde : nous, maintenant, c'est nous trois.

Rémi a quand même promis quelque chose à Clara : qu'il ne me baiserait pas.

Je suis certain que ça l'a beaucoup rassurée.

Il y a un an, elle avait célébré son anniversaire en prenant son premier bain avec moi. Elle gigotait beaucoup.

L'eau, le bruit de l'eau, la douceur de ses cuisses dodues qui pédalaient en toute confiance contre mon ventre, ses cris d'excitation et ses yeux curieux qui fixaient le plafond.

Son calme soudain quand je caressais sa tête en la lavant. Sa façon d'apprécier silencieusement la caresse.

Je l'ai enveloppée dans une serviette chaude et je l'ai serrée contre moi. Laurent m'enveloppait d'une autre serviette et frottait mon dos. À nous trois, nous tenions le monde. Un monde de ratine chaude et douce.

Ce n'est pas qu'elle me manque, mais faire du théâtre et prononcer certains vers dans un monde désormais sans ratine me semble bien vain.

Andromaque a quand même tremblé ce soir.

À trois heures, j'ai quitté les bras de Raphaël. Il faut tout de même sauvegarder un peu de vraisemblance : on ne passe pas toute la nuit précédant une générale dans les bras de Pyrrhus.

Rémi dormait. Je me suis glissée dans son lit. Il a marmonné que je sentais l'homme. J'ai dit que je le faisais pour lui, pour lui rappeler de bons souvenirs.

Il s'est collé contre mon dos, a mis sa tête dans mon cou. Sa voix n'était plus du tout ensommeillée : « Il y a un an, j'avais fermé boutique, payé mes comptes, écrit mes lettres et décidé d'une date : le 19. Il y a un an, je pensais que je savais tout et que le bonheur serait un abri pour toi contre le chagrin. Il y a un ange qui est venu déranger mes plans. Ton ange s'est enfui et m'a forcé à rester. Tu comprendras que je ne lui ai jamais dit merci. Mais, dans toute la futilité qui doit te frapper à l'occasion, il y a quand même cette année-là qui contredit pas mal de non-sens, cette année-là, arrachée à ma décision et qui me vient de ta fille. »

Je n'ai rien dit.

Je crois qu'on a pleuré.
Bien sûr qu'on a pleuré.

L'année avant sa mort, mon père ne cessait de répéter : « Pourvu qu'il n'arrive rien. » Il ne voyait que menaces dans l'avenir. Aucune possibilité de plaisir ou de bonheur. Il redoutait que la vie le frappe encore avant qu'il ne la quitte.

Je suis un peu comme lui, dernièrement, je ne pressens que des malheurs, je n'imagine que les drames qui pourraient nous tomber dessus : les critiques qui descendent Nathalie, le spectacle qui ne marche pas et Rémi qui va plus mal, ma mère qui a une attaque, le bureau qui fait faillite, name it !

Un vrai messager de mauvais augure.

J'ai beau savoir que c'est cet anniversaire qui me déprime, je ne peux rien faire : un ciel sombre et noir nous menace tous dans nos maigres bonheurs.

Alors, pour faire ma part, j'ai demandé à Clara d'aller chez elle pour quelques jours, je lui ai dit que j'avais besoin d'être seul. C'est vrai, mais je n'étais pas obligé de la blesser, de l'écarter.

Rémi m'a appelé pour me demander deux choses : de l'accompagner à la première de « notre » actrice demain et de l'emmener sur la tombe d'Érica après-demain. Il pense que Nathalie n'aimerait pas l'idée de la seconde excursion.

Il m'a enfin rassuré.

Mes hommes avaient tous l'air bien fiers de moi. Les trois, quatre avec Yves qui, quoique passé, en fut un.

Une première à tout casser. Un rythme très soutenu et un public qu'on entend se concentrer. Pour une fois que la grippe ne nous faisait pas de compétition déloyale, on en a profité. Beau show. Que les critiques se mouchent avec leurs savantes impressions!

Gros party, ambiance légère, ivresse plus accentuée. Rémi, tout ragaillardi (magnifique dans son veston sombre), qui promène son œil gourmand sur les serveurs qui valsent avec les plateaux, Laurent qui se détend et me souffle nos phrases codées des soirs de première, Raphaël qui se partage entre Hermione et moi et qui surveille discrètement quelle sera l'issue de la soirée. Même Yves, béat de bonheur, complètement pété au champagne et à la suffisance, qui me couve du regard en répétant « génial! ». Pas sûre que ça s'adresse à ma prestation théâtrale... me semble qu'il avait le commentaire sexuel assez similaire.

Il m'a été très facile de ne pas me poudrer le nez ce soir. Les temps changent et les ivresses ne tiennent plus dans les mêmes flacons.

Il y a Étienne et sa dame qui sont venus me féliciter dans les loges : fallait que je sois perdue en crisse pour apprécier un homme aussi déshérité! (Tiens, Racine me rentre dans le style!)

Nuit de plaisir et de délire. Personne n'avait envie de rentrer. On s'est retrouvés à l'appartement, à discuter encore, à l'aube, très éméchés, pas du tout cohérents et pas mal jubilants. Tout le monde s'en foutait en prenant un dixième night cap. Rémi a gagné son lit bien avant tout le monde, Laurent a pris le mien, Raphaël a sombré dans le sofa du salon et j'ai réussi à mettre Yves dans un taxi.

Je n'ai pas eu l'arrachement de trancher, tous ces beaux mâles ronflaient profondément quand est venue l'heure de choisir ma couche.

J'étais le seul à avoir à appeler au bureau pour me rapporter malade, ce matin.

Il y avait une file à la porte de la douche.

Tout le monde était ralenti — plutôt mou, plutôt mollo.

J'ai dû parler de rentrer avant d'aller me rendormir, le temps de chercher mes chaussettes.

Nathalie est venue me réveiller, il était deux heures et demie. Il n'y avait plus personne dans la maison. Elle m'a tendu mon café et s'est installée contre moi.

Encore les pieds gelés.

La journée inversée — j'aime bien. Comme Noël quand on était petit, Noël où notre dodo d'après-midi ne nous pèse pas parce que la nuit sera longue et belle.

Nathalie avait sa face d'affamée. Sa face pour me damner.

C'est quand même pas normal de baiser son ex dans la chambre contiguë à celle de son mari.

Mais je ne l'ai pas baisée.

Je l'ai aimée en maudit, par exemple.

Avant toi, mon bébé, j'avais eu des tristesses, des détresses mais rien qui ressemble à ce qui nous est arrivé.

Un an a passé.

Un an.

Je t'ai tant voulue, ma petite merveille.

tant attendue, tant désirée et rêvée.

Nous avions de longues conversations quand tu étais dans mon ventre, et après, quand tu regardais le monde derrière la colline de mon sein

nous étions si proches — comment, pourquoi ne m'as-tu pas dit que tu partais?

Tu crois que je me serais entêtée, que je t'aurais empêchée?

Aujourd'hui, je sais que tu n'es plus là

    que tu n'es plus nulle part

    que respirer, m'éveiller, vivre et aimer sera sans toi

    que rien au monde, ni bonheur ni malheur

    ne te ramènera dans mes bras.

aujourd'hui, je sais que je peux courir où je veux,

    faire le tour du monde

    m'abrutir de mensonges

    le creux de toi sera en moi pour toujours

    comme l'amour de toi.

La vie va faire ses vagues, je sais.

elle a sa façon de nous séduire, de nous arracher des sourires

je vais même danser

    probablement

mais aujourd'hui, un an après ce que j'ai fait si mal,

aujourd'hui, Érica, ma petite ange archange,

je te reprends à la mort et je te remets dans mon ventre.

J'ai bien assez couru pour savoir qu'il faut que mes bras te tiennent encore

    même si le corps de l'ange est mort

Tu m'as quittée, je l'admets, mais tu ne me quitteras plus

je te garde maintenant

tu peux dormir au fond de moi

je vais faire ce que je sais faire, et vivre.

Rémi est resté silencieux devant la tombe d'Érica.

On est allés se réchauffer dans l'église.

Rémi a ensuite allumé tous les lampions. Tous.

On les a regardés brûler un long temps. C'était joli.

Puis, alors que j'étais perdu dans mes pensées, il m'a demandé de quoi je m'accuserais si on me permettait d'avouer un seul péché.

D'avoir perdu Érica. Lui?

De s'être fait beaucoup de mal. Beaucoup.

J'ai pris sa main dans la mienne et je l'ai gardée.

La musique nous a manqué. On est partis.

Les lampions brûlaient toujours.

Quand j'étais enfant, je croyais que le vœu s'éteignait quand la flamme mourait. Que le vœu ne résistait pas à la courte durée de la mèche.

J'avais bien raison.

Nous avons célébré très sobrement notre premier mois de mariage, Rémi et moi.

Nous avons ouvertement discuté sexualité et théâtre, mariage et engagement, cancans et projets de carrière, tout sauf de la Haute Inquisition de la Vertu.

Le champagne nous a allégé la perspective du lendemain-chimio, mais Rémi a été bien sage (pour honorer son épouse, comme il a prétendu, ou pour s'aider à supporter le réel des lendemains, comme je prétends).

Je suppose que, quand il m'a demandé si j'étais prête pour la dernière manche, j'ai paniqué.

Je suppose que j'étais censée être plus de service que le silence que j'ai laissé durer.

Rémi a le don de casser les partys ! J'ai tout ramassé comme si ça pressait. Il attendait ma réponse, espèce de pape au bout de la table vide.

Non.

Il a seulement hoché la tête et mis Mahler. J'ai pris mon manteau et lui ai dit bonsoir. Il a répondu qu'il ne sait pas combien de temps il peut faire durer un entracte.

S'il y a une phrase qui m'écœure, c'est bien « the show must go on » !

Rémi passe par toutes les couleurs, mais la dominante reste quand même la transparence. Le médecin vérifie régulièrement son sang pour être certain qu'il est toujours en train de le soigner et non de le tuer, assure Rémi.

La chimio, la première fois, quand on ne sait pas, ça se supporte. Mais les autres fois, ça frise l'héroïsme. Rémi trouve que je lui remonte l'ego.

En fin de journée, je le ramène à la maison et on essaie de jouer au backgammon comme dans le temps, mais c'est moi qui gagne et ça nous achale. On attend Nathalie tous les deux. Elle arrive en courant, passe une heure, s'habille et part pour le théâtre.

Deux petits vieux abandonnés regardent des films même pas porno à la télé. Rémi se couche très tôt — je travaille au salon et j'ai l'impression idiote d'être revenu chez moi et d'attendre ma femme.

Si Laurent n'était pas là, Rémi serait tout seul à se battre.

Si Laurent n'était pas là, la fameuse tendresse, l'attachement qu'on est supposé témoigner aux malades quand il n'y a plus de temps à perdre, tout ça, Rémi pourrait bien se torcher, ce n'est pas moi qui le lui donnerais. Occupée à m'enrager. Occupée à faire l'enfant et à prendre les gens pour des jouets. Bien occupée à me haïr en paix et à rester le minable centre de mon minable monde.

Combien de temps d'entracte je peux gaspiller de même?

Je ne voulais pas qu'il m'explique, mais je voulais comprendre ce qui se passait.

Rémi était occupé à trembler de fièvre et moi à lui préparer un repas qu'il ne mangerait pas. Le principe de fuite est assez puissant chez Nathalie. Rémi prétend qu'elle ne sera pas longue à vomir comme lui.

Comment peut-elle lui faire ça?

Comment peut-elle gaspiller ce temps-là?

Rémi veut qu'on la laisse faire. Moi, je veux qu'elle fasse sa thérapie ailleurs, le sanatorium est plein.

Quand elle est rentrée, on s'est engueulés à voix basse tous les deux.

Je l'ai coincée contre le comptoir de cuisine, le plus loin de la chambre de Rémi possible, et je l'ai traitée de tout ce que je connais de pire. Elle ne laisse pas sa place, elle sait frapper et se battre.

Je n'ai pas lâché. C'est d'elle qu'il a besoin, c'est elle qu'il attend. En le disant, j'ai compris ce que tout le monde sait: l'objet du désir non assouvi tient en vie.

Ma belle actrice se bat bien mal. Je lui ai demandé si ces funérailles-là aussi, elle allait les rater. Comme ça l'a sonnée, j'en ai profité pour lâcher tout mon fiel.

Et après, j'ai pris sa chambre: si elle n'est pas là pour Rémi, qu'elle aille coucher ailleurs!

Coucher dans le salon permet de constater le nombre effroyable d'allers-retours qu'effectue Rémi pendant une nuit. Il est aussi très discret : on est certain que sa mère n'a jamais dû savoir à quelle heure son grand rentrait.

Ne m'a vue qu'à l'aube. Il a beaucoup ri.

J'ai ouvert mes draps et l'ai invité à venir réchauffer sa carcasse.

La carcasse en question trouve la chimio pas mal efficace.

J'ai fermé mes bras sur lui et l'ai bercé en demandant pardon. J'ai fini dans ses bras à me faire bercer alors qu'il me demandait pardon de m'imposer toute la game sans time out.

C'est Laurent qui nous a réveillés avec le café. Il faisait l'apologie de la force du mariage.

L'humour redoutable de Nathalie, celui de Rémi et ma naïveté un peu nounoune nous ont aidés à faire passer la chimio avec une certaine détente.

Ma mère ne comprend pas ce que je fais là, à ne jamais rentrer chez moi, à être en train de « virer », comme dit Nathalie. Clara trouve insupportable cette obligation de partage. Il n'y a que Nathalie qui sache former ses amants à l'obéissance sans discussion. Ou alors, c'est une disposition mâle, cette souplesse (également appelée instinct de carpette par l'intéressée).

On se fout pas mal que les gens comprennent ou pas. On est bien. En plus, pour lui éviter des insomnies, je partage maintenant le lit de Nathalie. Comme ça, je peux veiller sur son sommeil.

Il semblerait que, malgré la formation sévère qu'il a reçue, Raphaël trouve le rôle qui lui est octroyé un peu mince.

Oui, je suis aux anges. Oui, je suis heureux avec ces deux-là.

Nomination pour un prix d'interprétation à Toronto. Pas question de rater ça, mon agent dixit. Elle trouve que je la fais bien assez valser comme ça, avec mes horaires que je tiens à libérer et les décisions que je n'arrête pas de remettre. Donc, Toronto, la jolie robe, les épaules nues et le chignon grand style nous attendent. C'est pour la série. Pas loin, Toronto. On me paie la suite royale et ce que je veux.

Je veux mes deux hommes. Je veux être très accompagnée et gagner ça pour eux. Je veux qu'on les débobine tous en se partageant la suite. Genre « wicked game » pour offenser les English Canadians so-ooo neat and clean.

On va se payer une escapade. Dans deux semaines, ce sera parfait. On va fêter la fin de la chimio.

Quel dommage que Rachel ne soit pas « nominée » ! On va aller acheter ma robe ensemble, ça va la consoler un peu.

J'ai trouvé Rémi assis devant la fenêtre à regarder l'aube se lever. Je me suis assis près de lui et j'ai contemplé.

Il a laissé passer tout le technicolor et, dans la lumière bleue du jour pas sûr, il m'a dit que Sylvain était mort. La tapette de stainless, comme l'appelle Nathalie, est tombée dès la première attaque. Sans lutter, sans protester.

« Malgré ses airs de sadique, c'était un soumis. »

Il a perdu beaucoup d'amants, Rémi, et beaucoup d'amis aussi. On ne s'y fait pas, et ça ne nous décourage pas de vivre non plus. « C'est juste que c'était un danseur de tango écœurant. »

Nathalie nous a surpris en train de danser un slow langoureux dans le salon inondé de soleil.

Elle a dit qu'elle ferait du café avant de nous servir la fin de l'acte deux de *La Femme trompée*.

Est-ce que je suis jalouse ? J'arrive mal à la supporter, c'est vrai. J'oublie d'ailleurs toujours son nom — ce qui est un signe évident. France, elle s'appelle France. Un nom de pays ça devrait pas être difficile à retenir, un nom de pays pour une sans envergure. Et elle a des caprices, probablement parce qu'elle est « si tant » enceinte. Là encore, ça ne passe pas : pourquoi empêcher Rachel d'avoir du fun ? Juste parce que sa mère est enceinte ? Ben voyons ! J'ai négocié, argumenté, fait semblant de comprendre, et elle a balbutié tout croche que mon mari était bien malade. J'ai dit que moi, j'étais en excellente santé, que ça ne sautait pas sur le monde, ce virus. Elle a quand même pris dix minutes pour me faire promettre que Rachel « ne verrait pas ça », qu'elle était très sensible aux « visions d'horreur » (elle a *dit* ça, je ne pourrais pas l'inventer !) et que c'est elle, France, qui aurait à consoler Rachel de ses cauchemars.

Parfait. J'ai promis tout ce qu'on voulait, même de mettre un masque et de ne pas enlever mes gants si ça la rassurait. Et à dix-huit ans, ils l'emmèneront voir *Philadelphia.* Et à vingt, ils lui diront d'où viennent les bébés.

Une mère exemplaire, vraiment. On en mangerait.

Comment elle fait, Rachel, pour ne pas cauchemarder sur cette vision d'horreur-là : celle de l'inconscience baignant dans son jus ?

Plus on a de choses à faire et plus on devient efficace. Au bureau, je pète des scores et je fais beaucoup moins d'heures. Je réussis à m'occuper de Jules-Philippe qui déprime ben raide depuis son divorce. Il ne comprend rien à mon statut conjugal, d'ailleurs.

Quand je pense à la petite queen qui prétendait que tous les hommes devraient coucher au moins une fois dans leur vie avec un homme, j'aurais envie de le rappeler pour lui dire que c'est quelqu'un qui a le sida qu'on devrait être obligé de côtoyer. Et je ne parle pas juste des hétéros.

Le médecin de Rémi est extraordinaire. Est-ce le fait de fréquenter l'échec médical à si hautes doses qui lui donne autant d'humanité? Il considère Rémi et ses priorités, il compose le traitement avec lui, en essayant de lui permettre de faire ce qu'il désire; sans le tuer, évidemment.

On arrête donc la chimio, Rémi veut aller à Toronto sur ses pieds, pas en chaise roulante.

Nathalie exulte : elle est tellement belle que j'ai peur de tomber encore amoureux de la femme de mon meilleur ami.

Pas content, le Raphaël. Il s'était organisé pour venir avec moi à Toronto. Déçu, très déçu de voir que mon mari n'est pas encore mort et que je prends encore mes propres décisions. C'est le genre de détails qui m'irritent. Je n'aime pas qu'on décide pour moi. Même pour me faire plaisir.

La dernière de la pièce, samedi. Nos échanges sont houleux et Andromaque a des accents de vérité inconnus jusqu'ici dans les scènes de rejet de Pyrrhus.

J'ai décidé, une fois n'est pas coutume, de parler à Raphaël. Je sais pourquoi je ne le fais jamais : aucune surprise, il dit exactement ce que j'avais prévu et je réponds exactement ce que j'avais pensé. Temps perdu.

Il m'aime, il me veut, il ne comprend pas, qu'est-ce qu'il a fait et que doit-il faire encore ? (Merci, monsieur Racine.) Je me demande à quoi ça sert de jouer des tragédies pareilles si ça n'apprend même pas quelque chose aux acteurs.

Bon, je crois qu'il a compris que je refusais sa demande en mariage.

Vraiment ! Même remariée, je n'arrive pas à me débarrasser de mon premier mari ! Faudrait pas charrier, la mère de Laurent a déjà de la misère à avaler ça comme c'est.

Rémi se couche habituellement très tôt et, quand Nathalie arrive du théâtre, il se relève et vient manger avec nous. C'est « l'horaire Nathalie » et ça nous convient. On discute, on rit, elle nous raconte sa soirée, les papotages de coulisses, on ne se couche jamais avant deux heures du matin. Ces heures-là sont les nôtres, notre privilège, et on ne s'en priverait sous aucun prétexte.

Nathalie nous a soumis son problème numéro un : les producteurs veulent tourner encore quatre épisodes de la série policière. Le tournage commencerait cet été, Michel reprendrait son rôle et Rachel serait de la partie aussi. Les textes sont presque prêts. Ils attendent son accord depuis deux mois. Comme ils seront à Toronto, ils veulent l'annoncer à l'occasion du prix qu'ils sont sûrs qu'elle va remporter.

« C'est quoi, le problème ? T'as peur de faire trop d'argent ? » Le premier épisode se tourne dans trois mois et des poussières… en Abitibi.

Il a fallu qu'on jure solennellement qu'on la suivrait, qu'on louerait notre Winnebago, qu'on prendrait des avions à ses frais, qu'on serait là tout le temps à faire des pressions pour qu'elle lâche son texte et vienne souper, qu'on se plaindrait des mouches et qu'on serait pas du monde.

Personne n'a cru un mot de ce serment.

C'est loin, le mois de mai.

Ils devraient quand même prévenir la gagnante que, pendant que les autres vont sabler le champagne, se congratuler et se péter les bretelles, la pauvre tarte va donner des entrevues en buvant du Perrier.

Mes hommes ont eu ben du fun. Rémi a revu des tas d'amis, et ils ont célébré mon « outstanding performance » dans la suite royale pendant que j'officiais en bas.

Suis rentrée très tard, vannée. Laurent n'avait même pas desserré son nœud papillon et m'attendait.

J'ai raté tout le monde, mais Rémi a été ravi de parler à Michel qui appelait de Paris pour me dire sa jalousie.

Je n'ai pas lu les fax, je n'ai plus répondu au téléphone. Laurent et moi avons discuté de cette chose si étrange : en voyant l'extrait, en voyant cette femme exsangue, terrorisée et défaite, j'ai trouvé que rien au monde ne méritait moins un prix d'interprétation. J'étais bien au-delà du jeu. Je n'étais probablement pas vivante à cette époque, absente serait un aimable euphémisme. Laurent m'a versé du champagne en m'expliquant que l'art exigeait un abandon que j'avais rarement atteint à ce degré. Que le jeu consistait à plonger dans la fiction d'un personnage au moyen de toutes les forces vives disponibles au fond de soi, peu importe leur origine ou leur raison d'être. Sans défense, sans raisonnement, plonger et risquer de perdre son fragile rapport à soi.

Il n'était pas dupe de mon doute, Laurent, il prétend que, si j'avais été moins une artiste, je serais tout simplement morte de la mort d'Érica.

Quand elle dort, elle m'émeut tellement que j'ai de la misère à retenir mes larmes. J'ai eu si peur de devoir l'aimer tout seul dans mon coin que sa présence est comme un prodige quotidien. Je ne crois pas jamais m'y habituer. Et je ne le veux pas.

Ce matin, Rémi est venu me rejoindre dans ma silencieuse contemplation.

Quand elle s'est réveillée, elle avait un admirateur de chaque côté. Elle s'est contentée de prendre un oreiller pour se le mettre sur la tête et de grogner qu'on aille s'exalter ailleurs, que l'actrice était off.

On est allés déjeuner et lire la presse dithyrambique sur notre idole.

Rémi dessine dans son cahier secret.

J'écris dans le mien. Dur retour de Toronto, je ne m'étais pas retrouvée à ne rien faire depuis le milieu de ma grossesse.

Ce n'est pas quelques interviews et les détails ordinaires de la vie d'une actrice qui me donnent l'impression de travailler.

Une âme en peine qui erre dans l'appartement. Me suis remise à nager pour me mettre en forme, si jamais je travaille… mais pourquoi j'ai tout refusé?

Des envies de grand ménage me prennent, je comprends maintenant pourquoi les femmes dites au foyer sont si frotteuses : pour passer leur rage! Rémi me regarde me débattre sans rien dire.

Il sait très bien qu'il y a des gens qui ne trouvent qu'une chose dans l'inactivité : la terreur.

Elle nous cherche une maison, maintenant. Quelque chose de grand, confortable, central et prêt pour l'emménagement. Une maison où on aurait chacun notre coin.

Je l'aime, mon coin, moi. Si j'ai besoin d'air, je n'ai qu'à aller à mon appartement qui m'attend. Qu'elle fasse pareil.

Pourquoi ce branle-bas? Pourquoi faudrait-il imposer ça à Rémi qui n'a rien demandé de tel et qui aime bien sa place? Juste parce que madame a du temps libre et des économies à placer? Qu'elle prenne des REÉR, comme tout le monde!

Rémi commence à bien aller, pourquoi on le fatiguerait avec une nouvelle adaptation?

On était bien, là, nous trois.

J'ai envie d'appeler son agent pour qu'elle l'occupe au plus vite.

Il ne veut pas. Il n'a pas envie de déménager. C'est sa dernière maison, c'est là qu'il veut mourir !

Évidemment, Rémi ne m'envoie pas totalement promener. Il comprendrait si j'avais besoin de m'éloigner et de prendre un autre appartement ou une maison. Mais il ne me suivrait pas, même s'il est mon mari.

Il dit qu'il n'a pas la force.

Que la seule idée de faire une boîte l'angoisse terriblement.

Mais vraiment ! Il n'aurait jamais fait une boîte ! Je m'en serais chargée, je sais qu'il n'est pas si fort.

Et je peux trouver une maison qu'il adorerait avec un jardin pour les tomates en été, et un atelier pour lui, et même une cave pour les projets de bricolage de Laurent.

Il a mis sa main sur ma bouche pour se donner une chance d'être entendu : « Ni à l'hôpital ni ailleurs qu'ici. Compris, kiddo ? »

Je déteste les gens qui vous psychanalysent pour se donner une excuse de refuser un projet. Quelle lâcheté, quand même !

New York maintenant! Mais qu'est-ce qu'ils ont? Je ne peux pas m'absenter du bureau toutes les semaines, moi. Faut aussi que je gagne ma vie comme la personne ordinaire que je suis. New York! Qu'est-ce qu'ils vont aller faire dans ce trou à pollution? Pogner une pneumonie?

Dès qu'il a des forces, il faut que Rémi aille les épuiser quelque part. Et Nathalie marche là-dedans! Elle s'excite, dévore le *New York Times* pour faire la liste de tous les spectacles-expos qu'elle veut voir.

Une semaine à New York… je me demande jusqu'où c'est le prix de consolation de Nathalie pour son échec immobilier. Rémi peut être très ratoureux. Il a beau prétendre vouloir marcher sur ses anciennes pistes de séducteur compulsif, moi je pense qu'il essaie d'occuper Nathalie.

New York est moins loin que Rome ou Milan, d'accord.

Mais ils ne seront pas là.

Je vais les rejoindre dès vendredi soir.

On se paye le Plaza et on prend des taxis. Faut que ce soit entendu d'avance. On ne va pas épuiser nos forces à marcher : on se rend à nos activités et là, on se fatigue à admirer, pas à faire des économies.

Je suis un peu riche en ce moment et, c'est bien connu, un artiste riche est un moins bon artiste. En tout cas, il y a des gens qui pensent ça. Il y en a même qui le disent.

J'ai attendu qu'ils soient partis pour céder à Clara et « lui donner une chance qu'on s'explique », comme elle dit.

Sa justification, parce qu'elle avait l'air d'y tenir, c'était de s'informer si, en plus de Nathalie, elle aurait à me côtoyer sur les tournages de cet été. Elle a besoin de l'information avant d'accepter ou de refuser l'emploi qu'on lui offre. Elle me fait beaucoup trop d'honneur. C'est quand même quatre mois de tournage et l'assurance d'un bon revenu.

Elle est très fâchée contre moi. Elle dit qu'elle a été honnête et qu'elle n'a pas joué de game, je me suis donc interrogé sur le sous-entendu. Ai-je joué des games ? Ai-je honteusement profité de son amour ? J'en ai profité, j'en ai été heureux, reconnaissant. J'ai toujours admis les bienfaits de son passage dans ma vie, je n'ai jamais agi contre ma volonté ou mes désirs avec elle, mais je ne l'aime pas. Pas comme elle le voudrait. Pas comme elle, m'aime. Ça ne me rend pas malhonnête. Ce n'était pas un concours et il n'y avait pas un seuil d'amour à respecter. C'est quoi ? L'alcootest de l'amour ? Pas le droit de baiser si on a moins de point cinq dans le sang ?

Je comprends qu'elle a du chagrin, mais ce n'est pas en faisant de moi un monstre d'égoïsme qu'elle va se consoler de m'avoir perdu.

Elle ne sait vraiment pas que ses petites astuces ne sont rien à côté des tornades de Nathalie.

Je vais me coucher le cœur tranquille et dormir d'une traite sans surveiller si Rémi se lève.

Elle ne serait pas contente de ma tranquillité d'esprit, Clara. Étrange comme l'amour ressemble à autre chose, parfois.

Quand il avait vingt ans, il venait ici et la ville battait à sa mesure. Pas seulement parce que c'était alors un paradis du gay underground, mais surtout à cause de l'effervescence artistique. Peu de villes au monde donnent autant l'impression qu'on est arrivé « là où ça se passe ».

On ne s'est pas beaucoup promenés dans le froid, mais on s'est assis dans des endroits d'une somptueuse élégance pour nous raconter nos souvenirs de jeunesse, quand le théâtre était un décor pour Rémi et un rôle pour moi. Quand chaque production était une tentative pour changer bruyamment le monde. Quand chaque amant était une grimace à l'immobilisme puritain et à la convention du silence sexuel.

Les folles nuits du New York d'antan, quand les bars ne fermaient pas et que tout ce qu'on disait qui s'y passait était en dessous de la réalité. C'est à New York que Rémi a testé ses limites.

Dans le décor immaculé et glacial de Philip Starck, on a bu du thé en se rappelant nos souvenirs les plus enivrants.

Mis à part le fait qu'ils voulaient que je voie tout ce que j'avais raté pendant la semaine en plus du programme qu'on avait établi, c'était fantastique.

Nathalie et Rémi étaient dans une forme splendide et leur enthousiasme était contagieux. Pour une fois, Nathalie suivait un rythme acceptable.

Être ensemble tous les trois, voir des spectacles, en discuter avec nos dadas, nos spécialités (la mienne étant l'ignorance crasse du spectateur moyen et content de l'être), se payer le luxe des restaurants chers qu'étudiants on regardait en se disant qu'on n'entrerait jamais là et faire des razzias de livres d'art — le bonheur de New York.

Être ailleurs, prendre congé de la maladie et des sombres perspectives, profiter de tout, prendre des photos tartes pour nous faire honte une fois rentrés — le bonheur de New York.

Si je voulais, je pourrais reculer et relire ce journal à ses débuts pour constater qu'il y a un an, aucun, mais aucun de ces bonheurs n'était envisageable.

J'aimerais ne jamais l'oublier.

Depuis NYC, j'ai pogné mon rythme vacances, le pas-de-contraintes qui libère au lieu de terroriser. Il était temps : mes maris s'épuisaient à me voir carburer en faisant du sur-place.

J'ai pris des habitudes de farniente ; on se prend un petit déjeuner royal en T-shirt et bas de laine, Rémi et moi, pendant que notre homme cravaté et rasé de frais est parti au bureau faire l'important. On se planifie un petit cinéma milieu d'après-midi et un souper festif pour le retour du héros à la maison.

Deux fois par semaine, luxe des luxes, je vais chercher Rachel à l'école, permission accordée par la France sous réserve, toujours, de garder mes visions d'horreur pour moi (jusqu'à quel point parle-t-elle de mes pensées ?) et de faire attention. J'ai triché avec la France. Comme le contrat de Rachel va être signé, j'ai parlé d'une sorte de « cours de théâtre » que je lui donnerais pour la préparer. Cette actrice dans l'âme n'en a aucun besoin, mais l'amateure qui ne sommeille jamais dans le cœur de sa France de mère a été ravie. C'est comme ça que Rachel et moi, on magasine, on se bourre de cochonneries et on dessine chez moi — pour sa formation d'actrice.

Elle me parle de « quand elle était petite », c'est l'été passé, ça.

Ça fait réfléchir, quand même… moi aussi l'été passé, j'étais encore pas mal petite.

Ça fait bizarre d'avoir laissé passer le treizième mois de la mort d'Érica sans en avoir parlé. C'est Rémi qui me l'a demandé. Parce qu'Érica n'a pas besoin de ce genre de célébration, parce que les dates de mort ne sont utiles à personne et que les vivants ont bien assez à faire avec les vivants pour qu'ils célèbrent ou se désolent à cause d'une date qui rappelle « les ravines intérieures. »

Alors, suis-je coupable d'oubli? Comme si ça lui retirait de l'importance que je me désole moins!

Rémi m'a demandé si je m'imaginais une seconde qu'il aurait besoin d'un deuil destructeur de ma part pour lui prouver posthumement mon attachement.

Il m'a envoyé enterrer ma culpabilité plus loin.

C'est New York qui a donné l'idée à Rémi, je pense. Ou alors, on lui pèse sur le rognon. Non, il a raison : depuis qu'on est ensemble tous les trois, Laurent et moi on n'a jamais passé de temps seuls tous les deux.

Rémi joue les marieuses ou le conseiller conjugal. Il soutient qu'une fin de semaine en tête à tête m'aiderait à savoir si c'est sérieux ou si c'est pour lui faire plaisir à lui, ce retour à la source. Vraiment ! Il s'imagine que je l'aime pas mal, s'il pense que je baise pour lui alléger l'existence. Je n'aurai jamais ce genre de générosité.

Laurent trouve l'idée excellente et veut aller dans le Nord faire du ski. Je me serais contentée de mon appartement, mais bon, va pour le Nord.

Rémi nous a fait jurer de ne pas l'appeler. « Don't call us we'll call you. » J'en suis à me demander s'il n'a pas des projets libertins pour sa fin de semaine. Qu'il en profite : sa femme ne se laissera pas mettre à la porte de même toutes les fins de semaine.

Elle dort. Elle dit qu'elle ne les écrit pas, elle, ces bonheurs tout ronds, tout parfaits. Elle se contente de s'en contenter. C'est faux, Rémi m'a dit qu'elle a écrit à New York. Elle nous trouve ben mémères tous les deux. Elle a une règle : quand Rémi dessine, elle écrit. Rémi traîne son carnet partout maintenant.

On a pris des pentes difficiles, on est rentrés en plein après-midi ensoleillé pour essayer le room-service qu'on avait négligé. On la reconnaît partout, maintenant. Elle trouve que ça fait mauvais genre de se prendre les mains dans la salle à manger d'un hôtel de prestige, elle est mariée, quand même !

Elle dort. Ça fait cinq fois que j'arrête d'écrire. J'ai presque rien à dire d'autre que je l'aime et, qu'encore une fois, elle a raison, je vais me contenter d'en profiter.

Je m'haïs de l'avoir pensé, je m'en veux de l'avoir éprouvé, mais je ne pousserai pas la vanité jusqu'à ne pas l'écrire. Tant pis pour moi, et ça me servira d'aide-mémoire si jamais j'arrange ma biographie comme je le fais toujours.

On faisait nos bagages et il restait une heure avant le checkout time. On était supposés aller bruncher dans une autre auberge avant de rentrer.

Laurent, qui a fini ses bagages avant moi, s'est mis à flâner et à m'empêcher d'être efficace. J'ai non seulement perdu du temps, mais on est tombés endormis ben raide après. Tous les deux. Quand le téléphone a sonné, on a fait chacun une crise cardiaque et on a assuré le gérant qu'on partait effectivement.

Laurent rigolait. Mon film noir commençait.

C'est le téléphone, je pense… la catastrophe redoutée enfoncée dans mon subconscient. Je me suis dit que Rémi nous avait envoyés en week-end pour se tuer. Qu'on le trouverait mort en rentrant. Qu'il voulait nous épargner sa mort lente, les angoisses, le mal pour lui. Qu'il l'avait déjà planifié il y a un an, pourquoi pas une deuxième fois? Que puisqu'on était ensemble, Laurent et moi, il n'aurait pas à s'en faire, on s'occuperait l'un de l'autre, que ça faisait un an et plus qu'Érica était morte, que j'avais achevé mon fight, qu'on avait eu du bon temps. Je ne sais plus combien de preuves j'ai trouvées en repensant à la dernière semaine. J'étais pâle, verte, je me grugeais — jamais je ne lui pardonnerais ça, l'écœurant! Je n'ai pas eu de misère à convaincre Laurent que je ne filais pas et que je préférais rentrer.

L'odeur du gâteau Reine-Élisabeth m'a calmée avant sa voix. Il était bien surpris de mon malaise subit. J'ai été me cacher dans ma chambre pour éviter son œil de scanner qui observait la malade.

Il est venu me porter un thé chaud : « Nathalie, je ne refais jamais les mêmes erreurs, même celles que j'ai ratées. Je vais t'empoisonner la vie jusqu'au bout de la mienne, O.K.? »

O.K.

On a beau avoir refusé de déménager dans plus grand, Rémi et moi, on est d'accord sur le fait qu'avoir deux autres appartements qui nous servent de garde-robe, c'est un peu luxueux.

J'ai aménagé le locker du sous-sol pour entreposer avec intelligence, et Rémi me donne des boîtes à descendre « pour faire de la place ». Il a cette manie, qui lui vient de son métier je pense, d'étiqueter chaque boîte avec le contenu détaillé. Il m'a donné tous ses vêtements d'été à descendre. On sera en mars dans un mois, il va en avoir besoin. « Descends ça, Laurent. »

Ce n'est ni la phrase ni le ton, c'est la fatigue dans le regard, l'affaissement des épaules, la tranquillité avec laquelle il a pris ma main pour donner une tape moqueuse : « Va pas bavasser, là. La cave, c'est pas si loin. »

L'effort était admirable et il a raison, pour aller chercher des vêtements, c'est moins long de descendre à la cave que d'aller à mon appartement.

Pourquoi est-ce que j'ai quand même eu envie de lui crier de s'accrocher, de ne pas lâcher ?

Évidemment, il se trouve toujours un deux de pique pour profiter du talent de Rémi. Quand le Maurice est arrivé, supposément pour le voir, mais avec ses plans de décor en dessous du bras, je l'aurais retourné de bord! Quoi? Il vient faire admirer sa dernière œuvre alors qu'il sait combien son travail manque à Rémi? Il vient chercher le conseil qui va enfin faire «fonctionner» sa belle idée pas finie? Combien de fois le génie technique de Rémi a dépanné les bonnes idées de Maurice, qui ne tenaient pas la route parce qu'il n'a jamais été foutu de faire un peu de mécanique. Le «et puis ça se renverse» ou «ça tourne» ou whatever ne fait jamais rien avec lui, tant que Rémi ne lui a pas refait ses devoirs en tenant compte des lois de la gravité.

Je les ai laissés avec le thé et les biscuits au gingembre pour aller chercher ma Rachel.

Quand je suis rentrée, Rémi planchait toujours sur les plans et Maurice était parti. J'ai fait ma sortie théâtrale quand Rémi m'a avoué avoir accepté de revoir le décor et de redessiner une ou deux coupes afin de résoudre les problèmes. Maurice va le payer, mais de toute façon il a envie de le faire.

Je lui ai demandé si son nom figurerait au programme.

Jamais Maurice n'a reconnu ses apports artistiques, jamais! Lui donner mille piasses est une insulte, et il le sait. Oui, j'ai compris, il est fou de ça, le théâtre lui manque et il l'aurait fait pour rien.

Toujours pareil avec les gens passionnés par leur métier : ils sont nettement plus faciles à exploiter.

La maison est un vrai bordel. Rémi travaille sans arrêt. Il a refait tous les plans et, maintenant qu'ils sont partis à l'atelier, il reconstruit une partie de la maquette, parce que c'est un non-sens pour lui qu'une maquette diffère des plans. Tout est si minutieux, si précis : les moindres éléments, format confetti, qu'il manipule avec une patience et une ingéniosité stupéfiantes, jusqu'à obtenir la perfection maniaque.

Je le regardais coller une sorte de frange, parcelle par parcelle, avec une pince à épiler. Tout à coup, la similitude m'a frappé : j'étais comme lui, enfant, qui regardait son père fabriquer ses mouches à pêche. Je lui ai demandé s'il avait choisi ce métier parce que ça exigeait un peu de la minutie qu'il avait observée chez son père. Il a posé son travail sans rien dire et a contemplé longtemps la colle, les ciseaux, son matériel. Il avait les yeux pleins d'eau quand il a murmuré que c'est un lien qu'il n'avait jamais fait et que c'était pourtant évident : il avait retrouvé le bonheur de l'établi à mouches de son père. En un sens, son métier, apparemment si loin de celui de son père, était un hom-mage à celui-ci et aux chiches heures de bonheur de son enfance. Un jour, il avait fabriqué toute une maquette avec des plumes et du matériel de pêche, et il n'avait rien vu, rien compris : « Je joue encore dans le coffre à pêche de mon père ! »

Ça doit être ça, la filiation, continuer à être avec quelqu'un malgré l'absence apparente, témoigner de ses racines à travers ce qui ne mourra jamais : ce qu'on a aimé de quelqu'un.

La France a accouché. C'est une fille et Rachel n'est pas vraiment déçue. Elle la trouve seulement bien petite et plutôt ennuyante. C'est très drôle, cette façon qu'elle a de clamer sa science des bébés, la phrase encore pleine des mots de sa mère, et son dépit — « Elle va grandir, mais c'est plus long qu'on pensait. »

On est allées visiter une expo qu'elle voulait voir, mais ça ne marchait pas. J'ai fini par savoir ce qui se passait. Sa mère ne pourra pas aller en Abitibi pour le tournage, pas avec un nouveau-né et son mari à Montréal, et elle exige de la production, en plus de la gardienne-répétitrice à temps plein qui était déjà acquise, le versement d'un salaire à sa sœur qui va venir veiller sur la gardienne et servir de rapporteuse officielle. C'est la sœur qui rend les négociations difficiles. Rachel a la même peur que toutes les actrices : qu'on en prenne une autre moins exigeante qu'elle, enfin, que sa mère.

Changement de programme : on est allées acheter un très beau cadeau et on est allées voir le bébé et la France.

Elle va se rendre compte que je ne suis pas une amateure, la maman.

Ça prenait toute l'angoisse de Rachel pour me faire retourner au rayon layette.

Nathalie a gagné sur toute la ligne : non seulement le nom de Rémi est dans le programme, mais on s'est montrés la face à la première. Rémi s'en foutait un peu, mais il avait quand même du plaisir à assister à sa première, comme dans le bon vieux temps. On n'est pas passés inaperçus. Intéressant de voir la curiosité des gens, leur malaise quand ils sont surpris à épier, leur quart de poil d'hésitation avant d'embrasser Rémi (dans ce milieu, on s'embrasse tout le temps, rien à voir avec le degré d'intimité, en fait, on s'embrasse surtout quand on ne s'aime pas) et leurs commentaires élogieux sur sa mine.

Nathalie a fait un travail de maquillage assez raffiné, juste de quoi cacher les cernes, allumer le teint et donner de la santé.

Elle les surveillait, ces vautours comme elle les appelle, elle les empêchait de venir prendre Rémi en pitié en brillant comme la star qu'elle est. Rémi et elle ont une façon de se donner la réplique qui ferait pisser de rire toute une salle. Ils auraient dû monter un numéro.

Quand les lumières se sont éteintes, j'ai entendu Rémi soupirer de soulagement. C'est toujours la partie la plus épuisante, celle des sourires et de la figuration sociale.

Rémi ne voulait pas aller dans le foyer à l'entracte, il prétendait avoir suffisamment fait « du social » et « du cendrier ». Je l'ai laissé avec Laurent.

Raphaël m'attendait je pense. En tout cas, il m'a littéralement sauté dessus. M'a offert un verre, m'a demandé de mes nouvelles ; on a parlé du film, du prix et du regret qu'il avait d'avoir joué un méchant qui ne reviendrait pas. Il y a eu ce silence entre nous et le brouhaha autour, puis la sonnerie de la fin de l'entracte. Ça a précipité sa question : il savait que c'était fini, mais il voulait savoir si j'avais seulement adouci avec lui un temps difficile.

Ses yeux brûlaient d'inquiétude. Il attendait ma réponse avec une telle angoisse et une telle sincérité. J'ai dit que bien sûr que non, je ne l'avais pas utilisé. Jamais. Qu'il était seulement arrivé à un drôle de moment de ma vie, un moment où j'avais peu de place pour l'engagement, malgré mon mariage. Il a souri puis il est retourné dans la salle, soulagé.

J'ai regagné ma place, les lumières s'éteignaient. J'y ai repensé tout le long du spectacle. Cet homme-là m'a aimée sincèrement. Il y a deux ans, je ne l'aurais pas autorisé à me déranger avec ses sentiments. Je n'aurais même pas vu que je l'avais blessé, je ne parle pas de savoir ou non pourquoi. Je l'aurais écarté de mon chemin comme un obstacle dérangeant.

Il y a deux ans, j'étais probablement cruelle.

Demain, je vais appeler Raphaël pour lui permettre au moins de me dire ce qui va me déranger.

Je lui dois bien ça.

Je ne l'ai pas entendu se lever. Je l'ai entendu tomber. Un bruit sourd suivi d'un silence total.

Il était sur le carrelage de la salle de bains et tentait d'éponger le sang qui coulait de son nez. Il m'a interdit de m'approcher sans avoir enfilé une deuxième paire de gants par-dessus celle que je portais de toute façon.

Je l'ai relevé, nettoyé, nous avons titubé jusqu'à sa chambre où j'ai changé son pyjama et aussi ses draps.

Je l'ai recouché sans un mot et je suis allé nettoyer la salle de bains. Quand je suis revenu avec de la tisane, il n'en a pas voulu. La veilleuse lui donnait un drôle de teint. Je lui ai demandé si c'était la première fois.

« Que je suis menstrué ? Oui. »

Il n'a pas voulu du médecin non plus. Son front était bouillant de fièvre, il grelottait malgré la couette, mais il ne saignait plus, ce qui l'a calmé. J'ai été chercher des couvertures et j'ai essayé de le réchauffer. Qu'au moins, il cesse de trembler. Il affirmait qu'il n'avait pas mal, seulement froid.

Je suis entré dans son lit, je l'ai pris dans mes bras et je l'ai tenu en essayant de le réchauffer sans faire mal à ses pauvres os. C'était plus exigeant que les pieds gelés de Nathalie. Il s'est calmé peu à peu, a respiré sans claquer des dents. Je l'ai regardé se détendre et s'endormir. Malgré sa maigreur, malgré la fatigue inscrite dans chaque ride, son visage gardait une telle beauté, l'arête du nez, les pommettes, la bouche encore charnue, les sourcils à l'arc si féminin. Il dormait, confiant et abandonné. À cet instant, j'ai su que nous avions été très loin ensemble et que je ne le lâcherais jamais.

Le médecin a compris qu'il ne voulait pas de l'hôpital.

Le médecin a compris qu'on aurait besoin de support médical.

Nathalie a compris que le troisième acte commençait.

Je ne veux pas qu'il ait mal — et il va sûrement avoir mal.

Je ne veux pas qu'il ait peur — et il a déjà peur.

Je ne veux pas qu'il meure — et je sais bien qu'il meurt.

L'armée du sang est bien décimée. L'armée ne vaut plus rien.

Le médecin dit qu'il y a probablement d'autres tumeurs, qu'on pourrait faire des examens, chercher.

Pourquoi? Pour l'emmener s'épuiser à l'hôpital? Pour savoir précisément de quoi, de quelle partie de son corps ravagé il meurt?

« Ça peut attendre l'autopsie, docteur. Tu penses pas, Nathalie? »

Je n'ai pas du tout l'intention de dépecer post-mortem autre chose que mes rapports amoureux. Et encore.

Mon père est mort d'une crise cardiaque. Ça a pris vingt minutes et je n'étais pas là. Les autres morts, je ne les ai vus qu'au salon mortuaire, et ce n'était pas des intimes. Érica… oui, Érica.

Alors, la mort qui prend son dû paroisse par paroisse, je ne connais pas. C'est à la fois terrorisant et fascinant. C'est une guerre.

Inégale, comme toujours.

L'irrévocable contre le courage.

Il y a des jours où l'irrévocable gagne et on perd une journée.

Il y a des jours où le courage gagne et on a une belle journée. Le temps n'a plus la même valeur. Une heure de répit dans la descente en flèche représente un gain notable.

Quand Nathalie accouchait et qu'enfin une contraction cessait, on avait la même impression de pouvoir se refaire une santé pendant l'intermission.

Rémi ne meurt pas. Il danse son dernier tango, comme il dit. Il rigole, nous secoue quand on se décourage ou qu'on est trop inquiets. Il dit qu'on a arrêté la musique alors qu'il n'a pas fini de danser.

J'essaie de n'aller au bureau que l'après-midi.

On a beau le savoir, être prévenu, ce n'est pas moins raide à prendre. Je fais ma fille qui connaît ça, qui négocie ses virages comme une pro, et je le regarde s'éloigner avec l'envie de hurler qu'il a oublié quelque chose, ses gants, un baiser, n'importe quoi. Qu'il revienne, il ne fait pas assez beau aujourd'hui, qu'il reste encore un peu, on n'a pas assez ri.

Rien que l'emmener aux toilettes prend vingt minutes. Tous les gestes, toutes les petites choses de la vie prennent des proportions incroyables : manger une soupe, le laver.

En plus, il faut s'obstiner, se battre avec lui. Je l'ai averti que, le jour où il aurait besoin d'une couche, je n'engagerais pas quelqu'un parce qu'il a peur que je le voie tout nu. C'est mon mari, qu'il me laisse le laver, le raser, le peigner. Qu'il me laisse m'occuper de lui.

La première fois, quand je l'ai séché, poudré, habillé, bordé, il a eu son sourire sarcastique pour me dire que mes instincts maternels se réveillaient.

« Ma fille est morte, mais la mère est encore debout : profites-en pis tais-toi ! »

Quand je suis revenue dans la chambre, trente minutes plus tard, il m'a dit que ma fille n'avait jamais pu me dire combien mes gestes et mes mains savaient rassurer.

Depuis quand il parle à ma fille, lui ?

Peu à peu, tout l'appartement s'oriente vers la chambre de Rémi. J'y ai installé la causeuse, raccordé des haut-parleurs, redistribué de l'éclairage pour permettre toutes sortes de variantes, de la très faible veilleuse aux pleins feux peu seyants, comme les appelle Rémi. On nous a livré toutes les perfections médicales qui empêchent de se donner un tour de reins en prenant soin d'un malade. Dès que l'oxygène est arrivé, Rémi n'en a plus eu besoin.

Pareil avec le médecin : il arrive et Rémi reprend des forces. Je ne sais pas, peut-être qu'il essaie de donner le change.

La douleur, l'épuisement, l'humour plus amer que mordant, c'est avec Nathalie et moi, et on y tient parce que, quand on connaît Rémi, on sait que c'est sa façon de nous faire confiance.

Nathalie est remarquable de ténacité et de constance. Elle s'en occupe sans impatience, alors qu'on ne peut pas dire que, d'habitude, elle soit douée.

Et puis il y a ce fait étrange et déroutant : la proximité de la mort érotise nos rapports. Il doit y avoir un lien, une sorte d'explication, je n'en ai jamais entendu parler. Mais, malgré une sorte de honte coupable que je ne peux réfréner, j'avoue être incapable de résister à un quickie dès que Rémi s'assoupit. Nathalie appelle ça « baiser la bonne dans la dépense entre le potage et l'entrée ». Rien que de l'écrire me fait rougir.

Il dort. Sa longue main repose sur le bord du lit, prête à me rattraper si je veux m'éloigner. Il peut dormir tranquille. Il le sait. J'entends la pluie forte griffer la vitre. J'ai fait du thé, j'ai allumé la lampe, et Horowitz nous joue un petit Chopin plutôt grand.

Mon ex et actuelle belle-mère m'a longuement entretenue de ses judicieux conseils. Elle en connaît un bout, elle, sur le sida! Elle trouve qu'on devrait le rentrer à l'hôpital, que c'est grandement temps et qu'il va être plus à l'aise là-bas pour partir. Que ça se peut qu'on l'empêche de mourir en s'occupant trop de lui, que ça serait plus généreux d'arrêter ses souffrances tout de suite. C'est sûr que c'est ce qu'il veut. Et puis, combien de temps on pense faire ça? C'est pas pour durer indéfiniment! Une semaine ça va, mais ça fait plus que ça, et Laurent ne peut pas être forcé de prendre soin d'un mourant après tout ce qu'il a eu à traverser l'an passé. Là, j'ai coupé court en spécifiant que Rémi vomissait du sang. C'était faux, mais j'ai apprécié le petit « blurp » qu'elle a fait avant de raccrocher.

C'est fou comme ils se sont tous mis à téléphoner, ceux qui savent pour nous ce qu'on doit faire et qui ont la chienne de venir se mesurer en personne à leurs petites angoisses cheap. Ceux qui discutent d'euthanasie et de dignité pour ne pas voir leur propre indignité face à l'effroi. Encore quelques bien-pensants tous prêts à achever ces pauvres types. Ces pauvres types qui nous meurent dans la face en nous rappelant atrocement qu'on a notre numéro en main et qu'on est en file, nous aussi.

Fou comme les vivants deviennent efficaces devant la mort lente des autres.

Je me suis agenouillée près de son lit et j'ai posé ma tête sur le drap, près de sa main. J'ai respiré doucement pour calmer ma rage, ne pas contaminer l'ambiance sereine de cette chambre. Il a posé la main sur mon visage : « Je suis tellement bien avec toi, ma Thalie, tellement bien. »

Ma Thalie — un des premiers surnoms qu'il m'ait donnés.

Ma Thalie — Horowitz me tue avec la douceur de son prélude.

Il y a des jours avec et des jours sans. On se plie sans rouspéter aux exigences capricieuses de la maladie. Samedi était un jour glorieux. On a pique-niqué dans sa chambre, Maurice est venu faire un tour, on a tous fait la sieste quand il est parti et on s'est même offert *Casablanca* en prime. Sans pop-corn par exemple. Rémi s'est moqué de la tendance accusatrice de Nathalie qui en veut encore à Maurice de l'avoir fait travailler (« et donc précipité dans la Géhenne »). Je ne sais pas où ils trouvent la force de se provoquer comme ça, ces deux-là, je ne l'ai jamais compris, mais quand Nathalie lui a dit qu'il n'était pas plus brillant que l'autre d'avoir accepté et à ce prix-là en plus, et que Rémi est revenu à la charge, je suis sorti.

Ça les amuse, je sais.

Moi, j'aime autant faire de la soupe.

Ce soir, Nathalie et moi, on a fait un horaire de garde et de sommeil.

C'était facile parce que la journée avait été si belle qu'on avait l'impression de le faire un peu pour rien.

Nathalie est allée se coucher jusqu'à une heure du matin avant de prendre ma relève jusqu'à l'aube.

Sa voix change, elle s'altère comme si ses cordes vocales n'avaient plus la force de claquer ensemble à la bonne vitesse. Ce n'est pas une question de souffle, c'est la mobilité et la tension qui lâchent.

Cette voix fatiguée, cette voix brisée que le souffle porte à peine et qui me force à me pencher vers lui pour comprendre de quoi il parle, cette voix est celle de l'adieu.

Rien ne me crie la fin comme ce chuchotement épuisé qui essaie encore de faire éclater une moquerie.

L'esprit vif, coupant, et la voix qui s'amoindrit, petit fil cassant où l'ironie perd son équilibre.

La voix de Rémi est maintenant une voix de nuit, même le jour.

Il dort beaucoup et son sommeil est traversé de halètements de douleur — ceux qu'il ne laisse jamais passer à l'état de veille. J'épie son sommeil pour savoir comment m'occuper de son réveil.

À trois heures du matin, il a ouvert les yeux, très en forme, apparemment.

M'a demandé où était Laurent. Puis, rassuré de le savoir couché à côté, il a dit : « Et Michel ? Il est où, Michel ? »

Parce qu'il était neuf heures trente à Paris, je lui ai proposé de l'appeler.

Ils ont parlé cinq minutes, puis Michel m'a dit avec une panique au fond de la voix qu'il arrivait par le premier avion qu'il pourrait attraper.

Rémi s'est rendormi après avoir déclaré que les délais allaient encore s'étirer, puisqu'il avait promis d'attendre Michel.

Il souriait, l'animal !

J'ai toujours pensé que, s'il y avait eu une raison à la mort d'Érica, ç'aurait été plus facile à prendre.

Rémi meurt avec une centaine d'explications et de raisons. Elles ne me calment pas, n'apaisent rien.

C'est toujours pareil : on a beau le savoir, être prévenu, on a beau proclamer que la vie est courte, il suffit qu'on trouve un petit ganglion qui fait le gros, et la terreur nous arrache un pourquoi incrédule.

On ne sait jamais que la vie est courte. On ne voit jamais sa mort.

On ne la conçoit que vaguement, peureusement, à travers la mort des autres.

On refuse toujours sauvagement l'évidence.

Et on lutte — Dieu qu'on lutte, que c'est long avant que cette charpente fragile et criblée de plaies, avant que ce tronc où abcès et jus purulents bataillent, avant que cette force opiniâtre qu'est l'âme ou la pensée ou le cœur d'un humain ne s'agenouille et ne consente. Que c'est long et comme elle est inégale, cette lutte féroce et finale.

Je voudrais bien vivre avec la même combativité et, le jour venu, renoncer plus vite et m'épargner ce combat.

Rémi, malgré son consentement moqueur à la mort, Rémi se bat en se proclamant prêt. Il l'appelle et, dès qu'elle se montre, il se remet à courir.

Il m'arrive de souhaiter qu'il abandonne.

Il m'arrive d'avoir honte.

Tout le temps que je suis ici, près de lui, à veiller, à guetter la nuit pour qu'elle ne me le vole pas, tout ce temps, je me sens utile, je ne me pose plus de questions, je suis dans ce fameux temps présent, si difficile à atteindre pour nous, les insécures du demain, les regretteurs de l'hier. Comme sur scène, où l'urgence force la concentration, près de lui, à guetter son souffle qui se dérobe, je suis à même la pulsation du maintenant.

Laurent vient me rejoindre de temps à autre, et je sais que ce temps à veiller notre ami et notre amour, ce temps est une merveilleuse indulgence que la vie nous accorde, celle d'enfin prendre soin de quelqu'un qui en a besoin et qui nous laisse une chance de le bercer de notre amour avant de nous quitter. Rémi, maintenant si immobile qu'il faut le tourner avec précaution parce qu'il n'en a plus la force, Rémi qu'on change avec ce respect qu'apporte avec elle l'extrême indigence, Rémi qui n'a plus que ses yeux et son ouïe si fine, cette fossette à la commissure droite de sa bouche qui frémit au lieu de rire, Rémi nous permet enfin de toucher notre enfant dans son corps délabré qui retourne vers l'enfance.

Tendue vers lui, penchée vers lui, c'est une miséricorde que de caresser sa peau brûlante avec une huile qui va peut-être ralentir la marche du corps qui se dessèche.

Laurent s'assoit près de moi, prend ma main et ne dit plus rien. J'entends, j'entends tout l'amour dans sa présence, et je l'accepte.

Un homme de trente-huit ans, même avec un passé lourd de maladies diverses, même avec quarante kilos pour ses six pieds, même avec des fonctions vitales ruinées par les tumeurs, un homme de trente-huit ans a un cœur jeune.

Le médecin, qui passe tous les jours, qui nous parle avec une patience infinie, le médecin ne croit plus aux pronostics depuis longtemps. Techniquement, ce corps usé devrait avoir cessé de vivre. Mais ce corps brûle de certains désirs, et il a l'habitude de la lutte.

Le médecin nous demande d'accepter l'aide qu'on nous offre pour ne pas épuiser des forces dont on va avoir besoin.

On dirait que Nathalie a fait ça toute sa vie. Elle a tout appris très vite : les injections, les doses, les soins, les précautions. Je sais qu'elle ne veut pas de l'hôpital pour lui. Moi non plus. Mais je ne veux pas qu'il souffre parce qu'il n'y est pas.

Beaucoup de gens passent le voir, ils s'incrustent au salon et discutent. Bref, c'est le party continuel, comme dirait Rémi, et seulement offrir un verre à ces gens demande de la planification.

J'ai pris une semaine de vacances. Je ne veux pas que Nathalie continue toute seule le plus gros de la tâche. Je veux faire des nuits, moi aussi, la soulager. Mais je sais comme elle que le seul soulagement, c'est de pouvoir être près de lui.

Quelquefois, dans le silence de la nuit, j'entends la mort creuser son chemin à même son corps. J'entends la résistance tranquille de Rémi.

Et je sens la mienne me raidir le dos.

Je me demande si je saurai jamais consentir à la mort.

Je sais qu'il attend ma reddition, je sais qu'il a promis il y a si longtemps, et que cette promesse soulève régulièrement sa poitrine.

Rémi attend après moi. Un peu. Peut-être pas uniquement, mais ce serait lâche de le nier.

Je ne veux pas le laisser partir, je fais semblant de veiller un mourant. Je veille mon ami, mon mari, et je veux qu'il revienne, qu'il me fasse rire, qu'il m'éblouisse de son talent. Je n'ai pas fini ma phrase, rendez-le moi. Cette complicité qu'on a regagnée à travers ce qui le détruit, à travers cette condamnation à mort que je refuse d'admettre, je la veux encore. Je déteste les souvenirs. Le présent, c'est tout.

J'ai peur de lui faire du mal parce que je suis une têtue qui refuse de le quitter.

Bon, O.K., faisons un deal : encore une semaine et après j'accepte.

Qu'est-ce que ça dort, quelqu'un qui meurt ! Comme ça s'absente longtemps.

Rémi, j'ai fait un deal, tu veux le savoir ? Tu ne veux pas rire de mon merveilleux courage ?

J'ai fait un deal sur toi. J'ai betté.

Non ?

Il a ouvert les yeux — il a dit mon nom.

Je lui ai donné de l'eau — il a fermé les yeux.

Finalement, je ne lui en ai pas parlé.

Michel et Julie sont arrivés. Michel était blanc d'inquiétude. Et, pour faire exprès ou parce qu'il était content, Rémi a eu une bonne journée. Une de ces journées congé-de-douleur-et-d'horreur. Une journée rémission qui permet à Nathalie de rire et de croire que ça va, que c'est pas si imminent que ça.

Laissant les trois théâtreux ensemble, j'ai été reconduire Julie à mon appartement, que je leur prête.

Quand elle a vu la photo d'Érica, elle a pensé que c'était une photo d'art, le genre qu'on achète à une expo.

Elle l'a regardée longtemps, une fois que je lui ai dit de qui il s'agit. Michel lui avait raconté pour notre fille.

Elle m'a demandé si elle devait ou non dire à Nathalie qu'elle est enceinte.

Rachel ne comprend pas pourquoi je la lâche alors que personne ne s'occupe plus d'elle. Elle trouve que la diva qui a pogné le premier rôle à la maison est bien encombrante.

Elle m'a appelée pour m'annoncer que le contrat était signé et surtout pour savoir pourquoi je n'allais plus la chercher.

Quand elle s'est mise à pleurer, j'ai craqué : je ne peux quand même pas lui expliquer la mort par téléphone ! Les « visions d'horreur » méritent une certaine mise en scène.

J'ai laissé mes hommes avec mon homme et je suis allée expliquer ce que je comprends si mal à ma puce de huit ans.

« Quand y va être mouru, y sera plus du tout, du tout là ? » Non.

« Il va aller où, alors ? » Sais pas.

« Il va revenir jamais ? » Non.

Oui, elle a raison, Rachel, ça fait réfléchir quand même.

Avant qu'on se laisse, elle a posé sa main sur mon sein gauche : « Mais ton mari qui est là, lui, y reste ? »

Elle faisait référence à cet endroit où je disais la garder quand on n'était pas ensemble : le cœur.

Dans la voiture, en rentrant, j'étais incapable d'arrêter de pleurer.

Il y a déjà Érica dans le mausolée du cœur.

Maintenant Rémi.

Vieillir, ça doit être agrandir le mausolée. Et mourir, c'est quand on n'est plus qu'un mausolée.

Je suis très occupé à faire la police : beaucoup de gens qui veulent voir Rémi, mais ces visites le fatiguent. Parce qu'il essaie de parler et d'être aimable, parce qu'il se trouve assez macabre comme ça, comme il dit.

Voyant l'épuisement que cela provoque, j'ai établi des listes noire, grise et blanche — on a beaucoup ri. Surtout avec la liste noire, qu'il pensait avoir finie, mais qui s'allongeait toujours. C'est pas qu'il les haïsse ou qu'il leur en veuille. « Ils vont vouloir l'absolution avant que je crève, et j'ai plus de force dans les bras. »

La liste blanche ne comporte que quatre noms : Nathalie, le médecin, Michel et moi.

« Pas un seul fif, faut le faire, han ? »

Apparemment, il trouve ça très drôle. J'ai eu un frisson : est-ce parce qu'ils sont tous morts ou parce qu'il n'a jamais eu de vraie amitié homosexuelle ?

C'est si difficile que ça, dépasser le cul ?

Tout le monde dormait : Rémi, Laurent et Michel, écrasé de fatigue et de jet-lag sur le sofa du salon. Depuis deux jours, c'est la fête, Rémi retrouve des forces, la douleur faiblit, on a enfin trouvé la bonne façon de doser les médicaments.

Souvent, la nuit, il se réveille pour me parler. Sans témoin, comme il dit. Il s'est réveillé vers deux heures et m'a demandé son carnet de dessins. Je ne pensais pas qu'il pourrait tenir un crayon, mais je le lui ai apporté.

Il m'a demandé de l'ouvrir. Et j'ai compris. Nous avons regardé ensemble, les derniers mois, les bonheurs, les détresses, les mots d'amour, tout cela écrit avec des lignes, des mouvements (beaucoup, beaucoup de mouvements, comme si son inaction l'avait fait se concentrer sur ce qui bouge, court, fuit), la force des dessins, l'explosion des émotions à chaque page. Ce monsieur à New York, très chic, qui mangeait du bout des lèvres, du bout du trou du cul, comme avait dit Rémi, cette beauté de Milan qui écoutait un homme sans rien dire et qui avait l'air tellement navrée pour lui, un serveur à Rome, Laurent à Toronto, nœud papillon, sourire à faire craquer toutes ses fossettes. Il m'observait tourner les pages sans rien dire, heureux de son coup. Quand j'ai refermé le cahier, il a caressé ma main en m'expliquant pourquoi il ne m'avait jamais dessinée. Comme si je ne savais pas que c'était un aveu d'amour.

Quand on meurt, je crois, le mausolée du cœur s'inverse et ce sont nos vivants qu'on met dedans.

En tout cas, quand on meurt jeune.

En tout cas, Rémi et moi.

Puisque Rémi me parle toujours planification, j'ai essayé de lui expliquer que, s'il voulait, je pourrais l'inscrire dans une de ces maisons où on reçoit les sidéens. Pas pour y entrer maintenant, mais si jamais son état exigeait des soins qu'on ne peut pas lui donner, on aurait la possibilité de l'emmener là au lieu de l'hôpital.

Il a souri et m'a annoncé qu'il serait mort après-demain.

J'ai voulu lui expliquer, m'excuser, et il m'a seulement demandé d'aller chercher son testament et de le lire pour lui. Il voulait s'assurer que j'étais capable de faire tout ça, parce que je suis l'exécuteur testamentaire.

J'ai jamais été aussi malheureux de ma vie.

Quand on a eu fini, il a dit qu'on laissait Nathalie en dehors des détails qui l'enragent.

Bien sûr que j'ai été heureux que ça reste entre nous : mon pitoyable effort et son testament.

Ils annoncent une tempête de neige, demain. Ça doit être ça qui déprime Rémi.

Raphaël m'a demandé de voir Rémi. Il aimerait lui dire un mot. Il prétend que, quand on a remplacé un mari au pied levé le soir de ses noces, on a des intimités avec celui-ci. Il m'a fait son sourire de beau ténébreux.

Ça lui a fait plaisir, à Rémi.

Pas mal moins à Laurent.

Ils sont drôles, ces deux-là, à se sentir mutuellement cocufiés. Rémi est bien au-dessus de ces contingences — la classe, quoi !

Dans le vestibule, Raphaël m'a serrée comme si c'était moi qui allais mourir. Il m'a demandé d'être mon ami. Sa main descendait le long de mon dos, faussement frotteuse, faussement désintéressée. J'ai beau aimer et choisir Laurent, il y a une petite électricité dans ces doigts-là qui vous réveille les sens assez vite, merci.

Je lui ai dit que, le jour où il m'offrirait d'être mon amant, je prendrais sa demande en considération. La gueule qu'il a faite ! Petit croquis pour Rémi.

Je l'ai mis dehors sans rien expliquer. On verra bien assez vite. Il y a assez de vrais drames dans la vie sans s'amuser à en construire avec le plaisir.

N'est-ce pas, Rémi ?

Quand je me suis levé pour prendre la relève de Nathalie à l'aube, la tempête faisait rage depuis deux heures. Nathalie avait son air rongé des mauvaises passes, et le gémissement qui s'échappait à chaque expiration m'indiquait que Rémi aurait une dure journée.

Il n'était que souffrance; la mâchoire tendue, le cou crispé, les sourcils froncés, l'intolérable douleur le sciait.

Tous nos petits recours habituels étaient inefficaces. On a appelé, le médecin était coincé quelque part et il viendrait le plus tôt possible. En attendant, on pouvait augmenter les doses jusqu'à un certain point. La morphine ne calmait pas plus d'une heure, ensuite l'enfer reprenait. J'ai mis Nathalie et Michel à la porte et j'ai dit à Rémi d'arrêter de faire le héros, qu'on était seuls et que je savais qu'il avait plus mal qu'il ne le laissait paraître. Qu'au moins il ne gaspille aucun effort pour le camoufler, c'est déjà en masse de l'endurer.

Entre deux sifflements, il a chuchoté: « C'est moi que ça terrorise de l'entendre. »

Il tremblait tellement que le lit en branlait. Je me suis installé en cuillère contre son dos, mes cuisses soulevant les siennes, et j'ai massé son ventre doucement. C'est la seule position qui l'arrête de trembler. Ça ne stoppe pas le mal, mais ça fait une chaleur sur laquelle se concentrer.

Le médecin est arrivé en après-midi seulement, la neige bloquait tout le trafic. Il a refait les cocktails magiques anti-douleur.

Voir Rémi dormir sans gémir, voir Rémi dormir paisiblement, quel soulagement.

Il dort. Complètement drogué, mais il dort.

La neige a cessé, reste le vent qui s'obstine à faire tempête. La rage du vent dehors. Il est passé minuit. Laurent fait du bardas dans la cuisine. Il est tellement obsessif avec l'obligation de manger. Il ne veut pas dormir. Comme moi, ce matin, rien à dire puisque je ne le fais pas non plus.

Ses doigts sont enflés, son souffle n'est pas pareil.

Il meurt. J'ai peur de ne plus jamais voir ses yeux s'ouvrir, de ne plus jamais entendre sa voix, même pauvre et pitoyable, son filet de voix.

On a eu si peur qu'il n'arrête pas de souffrir, ce matin.

J'ai si peur qu'il arrête de vivre, maintenant.

J'attends un regard. Je n'attends pas sa mort.

J'attends un adieu. Je n'attends pas sa mort.

J'attends encore, comme l'entêtée que je suis. Mais pourquoi, pourquoi je n'arrive pas à le laisser tranquille avec mon attente?

Pourquoi je n'arrive pas à le laisser partir en paix?

On devrait me mettre à la porte de cette chambre.

Je sais qu'il ne me veut pas si combative.

Je le regarde et j'essaie de tout mon cœur de consentir à cette paix qui s'appelle la mort.

Quand il a ouvert les yeux, il a eu l'air étonné de me voir.

J'ai deviné plus qu'entendu et lui ai dit qu'on était le 12 mars, onze heures du matin.

« Câlice! »

Ça, je l'ai entendu nettement. Il avait décidé qu'il serait mort ce matin. Frustrant, je pense. J'ai essayé de le faire sourire, mais on aurait dit que ça le décourageait ben raide de n'être pas mort. Il a soupiré et murmuré : « Aucun contrôle sur rien! Thalie? »

Elle était sous la douche, elle s'en venait. Je lui ai demandé s'il avait mal, il n'a pas répondu, il réfléchissait.

Je suis sûr qu'il allait mieux parce qu'il s'est râclé la gorge et m'a demandé de sortir le dessin.

C'est sur son testament : une œuvre encadrée à remettre à Nathalie après sa mort. Tout de suite après. Indications très nettes et autoritaires : *Avant que je ne devienne froid.* J'ai répété ce qu'il me demandait, pour être bien sûr. Il a quand même trouvé la force de me dire : « Es-tu sourd? Si je meurs pas aujourd'hui, on va faire comme si. Donne-lui. »

C'est très haut : six pieds sur quatre pieds. C'est un bébé potelé, un joufflu, fessu, dodu, un ensemble ravissant de plis et de fossettes.

Ça commence en haut, à gauche : deux mains qui traversent le cadre, qui se tendent ou qui laissent échapper ce bébé. Il y a cinq bébés qui tombent, enchevêtrés, comme cinq fois le même bébé qui déboule. Le mouvement est foudroyant : on a envie de se pencher pour ramasser le dernier bébé, on a l'impression que la chute se déroule maintenant, devant nous. Le premier bébé a une pure expression de terreur muette, sa bouche est arrondie de stupéfaction, et ses yeux sont tellement inquiets qu'un éclair d'angoisse nous traverse à seulement les regarder. Il a les bras tendus et tombe sur le dos. Le deuxième amorce un repli sur lui-même — celui-là a les genoux qui se ramènent vers le torse, les bras qui se referment, la physionomie triste, esseulée, apeurée. En fait, le bébé pivote sur lui-même, exécute comme une culbute rapide et son expression passe de la détresse totale à l'hilarité béate. Comme s'il tombait mais possédait un invisible parachute. Le dernier bébé est tout en bas, complètement face au sol, planant, bras grands ouverts de plaisir, petites fesses rebondies, on voit son visage tendu vers le haut, grisé, ravi, et sur ses deux petites omoplates, deux bourgeons pointent, deux boutures d'ailes translucides, comme des ailes de libellule.

Il y avait une lettre collée derrière.

Les anges ne se fracassent jamais — jamais. Parce qu'on est idiots, on ne les entend pas. Mais si on se tient à l'aube, devant la naissance du jour, on peut, avec un minimum d'attention, entendre le bruissement des ailes de l'ange. Si on se tient très immobile, on peut sentir leur frémissement, comme un léger baiser.

Les anges adorent l'aurore : leur nuit de veille s'achève et ils vont jouer un peu, délasser leurs ailes.

Je t'aime, ma Thalie, l'ange Érica va très bien. Moi aussi.

Le titre du tableau est *La Naissance de l'ange*

et le premier bébé, le premier seulement, me ressemble terriblement.

Laurent a tellement sangloté que j'ai dû le consoler.

Rémi a décidé soit de s'épuiser, soit (à son avis) de profiter de son énergie top shape. Il m'a demandé d'appeler son frère. On a donc eu une sorte de parade de la liste grise. Les gens ne restent pas longtemps, mais Rémi leur parle un tout petit peu.

17 heures.

La douleur revient. Il m'a regardé avec des yeux surpris qui ne comprennent pas que le congé ne soit pas plus long. Nathalie serre les dents. Elle masse ses tempes délicatement en lui murmurant qu'elle ne le laissera pas souffrir. Il est exténué. Il répète qu'il aurait vraiment dû mourir ce matin. Qu'il se trouve lésé. Nathalie le fait sourire en disant que c'est de sa vie, pas de sa mort, qu'il est lésé.

Rémi s'agite, fait des jeux de mots si mystérieux que même Nathalie ne les comprend pas. Il veut se lever mais n'arrive pas à repousser son drap. Il a froid, il a chaud, il ne se comprend plus.

Le médecin dit qu'il entre en agonie.

Quelle horrible expression! Entrer en agonie… on entre en agonie, on tombe dans le coma et on meurt.

Quand je pense qu'on utilise de tels mots pour un homme qui a créé *La Naissance de l'ange*.

C'est bien peu connaître son rapport à la mort.

Ma petite fille qui m'a désertée.

   Mon petit ange enfin née.

   C'est la nuit, et Rémi dit qu'à l'aurore tu aimes jouer avec tes angéliques.

   C'est la première fois que j'arrive à ne pas te voir détruite.

   Et c'est grâce à lui.

   Il meurt, mon ange, il a mal.

   Je ne peux demander ça à personne d'autre que toi.

   Je l'aime, vois-tu.

      Viens, maintenant,
      aide-moi, aide ta maman
      à ouvrir ses mains
      qu'il puisse ouvrir ses ailes.

      promets que tu l'attends
      de ton côté
      promets, mon ange.

Il dort sans dormir.

Il a l'air engourdi — son souffle s'accélère.

Le médecin nous a montré comment compter et combien de ces halètements annoncent la fin.

Je n'arrive plus à le regarder sans me mettre à respirer comme lui.

C'est si épuisant, comment fait-il pour ne pas mourir?

Si je prends sa main, il ne la serre plus.

Elle est inerte et gonflée. Sa main n'est plus la sienne.

Elle est déformée par les médicaments ou par la mort.

Son visage creusé, tendu, ces os sur lesquels colle la peau comme un papier de riz trop mince.

Son seul réflexe, son seul mouvement : téter goulûment l'eau dont on imbibe les bâtonnets au bout de mousse éponge rose.

Je regarde Rémi mourir et, même si j'y consens,

même si j'accepte qu'il meure,

il lutte encore

le souffle hachuré, la conscience enfuie,

nébuleusement, sauvagement, il lutte.

Ça m'apprendra à me penser si fine.

Je n'arrive même plus à savoir s'il souffre.

Michel le regarde avec tant d'amour. Il lui parle doucement, sa voix est très calme, très posée. Ses gestes, tendres. Jamais sa voix ne craque quand il est près de Rémi.

Quand il sort de la chambre, il se met à pleurer.

Nous sommes trois dans cette chambre à avoir besoin d'être là.

Pour nous réconcilier avec la torture de la mort
                    avec la solitude de la mort

et cette vieille ennemie qu'est la pensée qu'un jour, on n'a pas été là pour quelqu'un qui mourait.

Combien y a-t-il d'hommes et de femmes dans le monde qui auraient, cette nuit, besoin de tenir la main de Rémi ?

J'ai enregistré un message rageur et excédé sur le répondeur ce matin : ils appellent à sept heures ! Qui s'imagine qu'on a pris une secrétaire pour les rassurer et donner le bulletin météo de l'agonie de Rémi ?

J'ai dit que Rémi n'était pas encore mort et que, quand il le serait, je changerais le message, et qu'ils pouvaient être sûrs qu'on ne rappellerait pas s'ils en laissaient un.

Je sais qu'il ne mourra pas aujourd'hui. Même à moitié mort, même à demi-conscient, Rémi a ce sens du symbole. Il ne mourra pas un treize — jour de la naissance d'Érica.

Il déteste les croisements de sens qui annulent ou amoindrissent la valeur des symboles.

Maintenant, cette lutte inutile, cette respiration comme un appel à l'aide, ce corps inerte, plus là, la constance de la descente, les heures interminables que prend un corps pour s'arrêter de vivre.

Maintenant, dans l'angoisse de cette chambre,
dans l'odeur de la mort, devant le visage perdu à jamais mais encore là,
je voudrais qu'on arrête le processus
qu'on le précipite là où il hésite tant à aller
je voudrais qu'on l'aide à mourir
pour le soulager
non, pour me soulager
pour me soulager du temps que ça prend à un être humain pour mourir.
C'est si atroce pour un vivant de devoir
contempler cette route-là.

Je l'ai pris dans mes bras pour le tourner du bon côté, celui où il respire mieux.

Son corps brûlant de fièvre rouspète contre le délai.

Je lui ai répété que j'étais là, qu'il prenne son temps, celui que ça lui prend, que j'attendrais avec lui.

J'ai parlé doucement toute la nuit — je lui ai rappelé nos plaisirs, nos voyages, nos fuites et nos bons coups.

J'ai murmuré le nom des morts qu'il avait aimés.

Je lui ai dit qu'il fallait tourner sa tête vers l'amour de ceux-là, que je comptais sur lui pour être là quand je tournerais la mienne à mon tour,

que je resterais ici, mais qu'il m'avait donné assez pour me permettre de continuer, assez d'amour et assez de mal aussi.

Pour une fois, j'ai passé la nuit avec un mourant sans lui demander de s'accrocher pour moi.

Puis, j'ai laissé Callas chanter *Norma*.

Nous étions tous les trois, Nathalie face à lui, près de son visage, Michel au pied du lit, tendu en avant, mains croisées, et moi face à Nathalie de l'autre côté du lit.

Le souffle a gargouillé, puis a repris
puis a gargouillé encore.

Nathalie a dit : « Rémi, tu es trop fatigué. Vas-y maintenant. Vas-y, mon amour. »

Le son n'est pas joli.

Rémi n'aurait pas aimé, parce qu'il a ce terrible don pour la beauté.

Il était cinq heures trente du matin, le 14 mars.

Je suis allée dans le salon. J'ai éteint les lampes.

Je me suis assise dans le fauteuil où si souvent je l'ai surpris au petit matin.

Je suis restée devant la fenêtre sans bouger, sans pleurer.

J'ai attendu l'aurore.

Et quand le ciel s'est soulevé

quand le noir a été repoussé par cette bande de lumière au loin

j'ai entendu très précisément

le froissement des ailes de l'ange.

Je vais refermer ce cahier.
C'était celui de la mort d'Érica.
C'est devenu celui de la mort de Rémi.
Je ne le relirai pas non plus. Pas avant longtemps.
Mais je vais le garder.
Parce qu'on oublie.
Et que je ne veux pas oublier.
Le 14 mars 1996.

MISE EN PAGES ET TYPOGRAPHIE :
LES ÉDITIONS DU BORÉAL

CE DEUXIÈME TIRAGE A ÉTÉ ACHEVÉ D'IMPRIMER EN NOVEMBRE 1998
SUR LES PRESSES DE TRANSCONTINENTAL IMPRESSION
IMPRIMERIE GAGNÉ, À LOUISEVILLE (QUÉBEC).